# y graig

# y graig

## Haf Llewelyn

y Lolfa

*I Mam,*
*ac er cof annwyl am fy nhad*

**PO**
**10162263**

Argraffiad cyntaf: 2010

⊕ Hawlfraint Haf Llewelyn a'r Lolfa Cyf., 2010

Dymuna'r cyhoeddwyr gydnabod cymorth ariannol
Cyngor Llyfrau Cymru

Cynllun y clawr: Alan Thomas
Darlun y clawr: Iola Edwards

Rhif Llyfr Rhyngwladol: 978-1-84771-217-2

Cyhoeddwyd ac argraffwyd yng Nghymru
gan Y Lolfa Cyf., Talybont, Ceredigion SY24 5HE
*gwefan* www.ylolfa.com
*e-bost* ylolfa@ylolfa.com
*ffôn* 01970 832 304
*ffacs* 832 782

# Prif Gymeriadau

## Teulu'r Graig

Taid (Ior[i] y Weirglodd) a Nain (Gwenni)

Janet + Emyr     Lilian + Barry

Llyr            Aled

## Teulu Ty'n Llechwedd

Malcolm a Jên

Colin ac Alice

## Rhai cymeriadau eraill

Meic a Cai y Wenallt – ffrindiau Aled
Teulu'r Gelli – Jay a Pixie
Plancia – hen was y Graig

# Yr Hen Ŵr

Duw yn unig a ŵyr beth ddaw ohonon ni – ac felly y dyla hi fod tebyg iawn. Mae Duw yn llond pob lle, presennol ymhob man. Ond mae yna rywun arall yn gwybod hefyd heblaw'r Bod Mawr, a fi ydy hwnnw. Neu o leiaf mae yna rywbeth y tu mewn i mi'n gwybod beth sy'n mynd i ddigwydd i ni i gyd. Rydw i'n gwbwl sicr beth ddaw ohonan ni – ond fiw i mi ddweud. Nid llais ydy o – achos fydda i byth yn gadael iddo fo siarad, felly tydy o ddim yn llais y tu mewn i mi. Mae llais yn gwneud sŵn yn tydy, yn creu geiriau. Fydda i byth yn rhoi geiriau i hwn, ond dwi'n gwybod yn iawn be mae o eisiau ei ddweud.

Dydy'r hyn mae o eisiau ei ddweud ddim yn glên. Dydy'r hyn mae o eisiau ei ddweud ddim yn mynd i roi esmwythyd i hen ŵr fel fi, nac am roi cysur i'r bobol o fy nghwmpas i, felly dwi'n rhyw gymryd arnaf nad ydy o yna o gwbwl. Wedyn mi fydda i'n gwenu ar bobol sy'n gofyn petha fel, 'Be ddaw ohonon ni, dudwch?' Gwenu'n glên a dweud, 'Yr Hollalluog yn unig a ŵyr, ac mi adawan ni betha yn ei ddwylo cadarn O.'

Wedi i mi ddweud hynna, mi fyddan nhw'n ysgwyd eu pennau'n drist, ac yn dweud fy mod i'n lwcus fod gen i ffasiwn ffydd. Mi fydda inna'n cytuno. Wedyn mi fyddan yn mynd ac yn gadael llonydd imi.

Ffydd o ddiawl. Does gen i ddim ffydd o gwbwl – dwi wedi gadael petha yn ei ddwylo cadarn O ddegau o weithia cyn heddiw. Ond mewn cors rydan ni o hyd, hyd at ein bogeilia mewn llysnafedd. Dyna fo, nid gweld bai arno Fo ydw i. Does gan y Bod Mawr ddim gobaith cadw trefn arnon ni siŵr. Rhyw le felly ydy'r cwm yma, *does* yma ddim trefn. Lle felly buodd o, ac felly y bydd petha hyd at dragwyddoldeb – pryd bynnag byth bydd hynny. Siawns na fydd tragwyddoldeb yn hir yn fy nghyrraedd i bellach.

'Dach chi'n iawn?'

Hi sydd yno yn llenwi'r drws. Hi, Lilian y ferch.

'Be sy? Pam nad ydach chi wedi gwneud tân?'

Mae hi'n flin am mod i'n iawn, a hitha wedi rhuthro i lawr i weld beth sy'n bod arna i. Dim ond wedi codi fymryn yn hwyrach nag arfer ydw i, a heb gael cyfle i gynna tân. Dyna fydd hi'n ei wneud bob bora i edrych a ydw i wedi codi – os bydd yna fwg yn y simdde, mae hi'n gwybod fy mod i ar dir y byw.

'A be dach chi 'di wneud efo'r ffôn?'

Mae yna natur gweiddi yn Lilian. Does dim rhaid iddi weiddi, dwi'n clywed yn iawn.

'Be sy'n bod ar y ffôn?' meddai hi wedyn.

Dydw i'n da i ddim efo petha felly, ac mae'r hen ffôn newydd yma'n un dila. Fydda i byth yn cofio ei rhoi yn ôl yn ei chrud ac mi fydd y batri'n mynd yn fflat, ac wedyn mae Lilian yma'n dweud y drefn.

'Tydach chi ddim yn trio. Mae gen i ddigon i'w wneud heb ruthro i fan hyn yn disgwyl eich gweld chi'n lledan ar lawr…'

Dod i mewn 'nath hi er ei bod hi'n gallu gweld mod i'n rêl boi.

Mae hi'n ddigon ffeind, cofiwch. Dim ond ei bod hi wedi cymryd arni ei hun i gario pob croes welith hi, hyd yn oed rhyw groesau bach fel priciau coed tân, wedi eu gadael hwnt ac yma. Weithiau mi fydd hi'n codi croesau dychmygol hyd yn oed. Mi fydda hi'n gwneud hynny pan oedd hi'n hogan fach ers talwm hefyd. Dwi'n cofio Gwenni, ei mam yn ei holi hi pam bod ei phocedi hi bob amser yn llawn o friglach a cherrig. Ac ateb Lilian oedd bod yn rhaid iddi eu codi nhw, achos petai hi'n digwydd eu gadael nhw lle'r oeddan nhw, mi fyddai yna ryw danchwa ofnadwy yn siŵr o ddigwydd. Ac felly mae hi byth, ofni'r gwaetha bob amser.

Mi fydda ei brawd, Emyr yn ei thyrmentio hi wedyn, yn chwerthin ac yn dweud bod yn rhaid iddi fynd â berfa efo hi bob tro bydda hi'n mynd am dro. Mi fydda fo'n rhedag o'i blaen hi ac yn lluchio slaffia o hen ganghenna mawr yn ei llwybyr, ac yn chwerthin nes bydda fo'n crio wrth ei gweld hitha'n cysidro a ddyla hi eu codi nhw ai peidio. Un drwg am dyrmentio fu Emyr ond roedd y ddau'n ffrindia mawr 'run fath. Lilian druan.

'Dowch yn eich blaen, tydach chi ddim wedi newid o'ch slipars...' Slipars melfaréd brown sydd gen i, ac maen nhw'n rhai braf. Peth rhyfadd dwi'n siŵr imi wisgo fy welingtyns am fy nhraed i fwydo'r gath bora 'ma. Mi roedd hi'n swnian ar y ffenast flaen yn fan hyn. Mae ganddi hi sŵn, ond mae hi'n heliwr a hanner, achos mi fydd hi'n dod â chwningod wedi hanner eu bwyta at ddrws y cefn o hyd.

'Dyma nhw'ch sgidia, hwdwch nhw'n reit handi,'

meddai hi wedyn wrth estyn fy sgidia i mi o'r twll dan staer.

Fydda Lilian byth yn cerdded ar graciau mewn llwybrau chwaith, nes i Gwenni ei hysgwyd hi'n iawn ryw ddiwrnod, a hynny am mai llwybyr crêsi pêfin sy'n arwain at ddrws y Graig. Mi fyddai pob taith at y drws neu oddi wrth y drws yn cymryd oes i Lilian. Dyna lle roedd fan Twm Huws yn aros wrth y giât un diwrnod, yn barod i fynd â nhw i lawr i'r ysgol, a Lilian yn mynd yn ara deg bach ar hyd y crêsi pêfin, rhag ofn. Mae'n rhaid bod Twm Huws wedi cael digon ar aros ac wedi hwtian, achos mi ddalltodd Gwenni ac allan â hi i weld beth ocdd achos y twrw. A dyna ddweud y drefn am gadw Twm i aros. 'Hen lol wirion.' Dyna fyddai Gwenni'n ei alw fo. Dydw i ddim yn siŵr mai lol oedd o chwaith, ond dyna fo.

A dyna ni, mae Gwenni wedi hen fynd, ond mae Lilian yn dal i chwilio am gracia ac yn dal ati i godi croesau pawb. Mae hi'n codi pob un, ac yn eu mwytho nhw, a'n cadw nhw'n glòs, glòs at ei mynwes.

'Ydach chi wedi cael brecwast?' hola.

'Na, mi aeth hi'n hwyr arna i'n dod lawr bora 'ma wel'di, ac mi roedd yr hen gath 'na'n swnian eto. Beryg bod ganddi hi gathod bach d'wad?'

Dydw i ddim am ddweud wrthi mod i wedi bod yn effro hanner y nos, ac wedi mynd i bendwmpian wedyn. Mae gen i ryw hen wayw yng ngwaelod fy nghefn – crycymala.

'Yr hen fwncath sy 'na Nhad, yn hewian.'

Mae 'na ormod o adar mawr o gwmpas y lle 'ma.

Mi fydd yn rhaid i Emyr gael eu gwared nhw cyn y gwanwyn nesaf. Ond fiw imi sôn am hynny wrth Lilian.

'Wel dowch rŵan 'ta, mi wna i uwd i chi. Wedyn mi fydd rhaid i mi fynd – mae Aled angan help i lwytho.'

'Ydy o am fynd i'r sêl?'

Efallai fod siawns i mi gael mynd efo fo am dro. Nid am dro yn union chwaith. Mae gen i bethau sydd angen eu gwneud yn dre.

'Gadwch iddo fo fynd ei hun. Dydy o ddim angan chi yn ei gwt o bob munud…' ac i ffwrdd â hi i'r cefn i wneud yr uwd. Dda gen i mo'i hen uwd hi – mi fydd wedi ei wneud o mor dew nes bydd y llwy yn sefyll ynddo fo. A dyna hi eto'n cadw cefn Aled, yr hogyn yna sy ganddi. Tydi hi wedi ei ddifetha fo'n dwll?

Dwi'n medru gweld Aled wrth wyro i edrych trwy'r ffenast fach sy yn y bwtri. Mae o wrthi'n trio hel yr ŵyn i'r gorlan ucha… ond does yna fawr o siâp arno fo chwaith. Dydy o ddim digon ffast, mi ddengan ganddo fo'n ddigon siŵr – dyna fo, does yna ddim dysgu arno fo. Mae o'n rhy bell i mi glywad dim, ond dwi'n gwybod ar ei osgo fo nad ydy o ddim mewn hwylia – rhywun wedi dwyn ei uwd o mwn, neu ryw hogan ddim yn plesio.

Mae o'n gweiddi gymaint ar yr hen ast fel ei bod hi wedi mynd i swatio y tu ôl i olwyn y tractor. Dwi'n ei gweld hi'n iawn o fan hyn, yr hen greaduras, a'i chlustia i lawr. Waeth iddo fo heb â gweiddi ar yr ast fel'na. Mi fydd yn rhaid i *mi* fynd ato fo decini.

Rhaid i mi, ei daid o, fynd i ddangos iddo fo sut mae gwneud. A finna'n fy oed a f'amsar.

Tasa fynta ddim ond yn trwsio'r giât yn lle'i diawlio hi. Mae o'n gwybod yn iawn mai disgyn wnaiff hi wrth ei hagor yn rhy wyllt – mae'r cetyn isa'n rhydd ers blynyddoedd. Mi fydd yn rhaid imi ofyn i Em fedr o wneud. Mae Aled yn anelu cic rŵan. Waeth iddo fo heb â'i chicio hi ddim. Dwn i ddim prun 'tai'r giât neu'r ast oedd i fod i'w derbyn hi – yr hen ast druan, mi fyddai'n well byd arni i lawr yn fan hyn efo fi.

Mi a' i i fyny i weld be fedra i wneud. Damia'r coesa yma na fydden nhw'n gallu symud yn gynt. Mi fedra i ddal y giât iddo fo tra mae o'n bacio'r trelar.

'Aled! Aros, mi ddo i atat ti rŵan...' chlywith o ddim chwaith uwch sŵn y tractor, 'Aled...'

Mi fedra i ddweud oddi wrth ei wep o ei fod o wedi fy ngweld i'n iawn, ond mae o'n benderfynol o wneud y job cyn i mi gyrracdd. Mae o wedi agor y giât a rhoi'r ast yn yr adwy. Waeth iddo fo heb â thrio bacio'r trelar, mae'r ŵyn yn siŵr o ddengid cyn y bydd o wedi medru dod o'r cab.

'Aros...' Un penstiff fuodd o erioed, a tydy o'n newid dim. Dacw nhw, tri oen da dros y clawdd. Ddeudish i mai fel hyn fyddai pethau. Wêl yr un o'r ŵyn yna'r mart heddiw, na finnau chwaith, mae'n beryg.

'Pwyll pia hi was... rhaid i ti drwsio'r giât...' Wnes i ddim arthio, dim ond dweud yn reit ffeind, dyna'r cwbwl.

'Ffycin hel! Be dach chi isho?'

'Waeth iti heb â rhegi ddim!' Mae o'n sobor o fyr

ei amynedd, 'Ti'n rhusio'r ŵyn a'u gyrru nhw'n hurt wrth wylltio fel'na.'

'Chi sy'n effing hurt. Ewch yn ôl i'r tŷ 'na o dan draed, yn lle dod allan i fan hyn yn eich slipars,' medda fo wedyn rhwng ei ddannadd.

'Be 'nei di rŵan efo'r rheina sy gen ti yn y gorlan?'

Ond dydy o ddim yn sbio arna i hyd yn oed, dim ond ei hel hi am y tŷ. Does 'na fawr o haearn y Graig ynddo fo. Lilian sy wedi gwneud gormod drosto fo erioed.

'Fedri di mo'u gadael nhw yn y gorlan fel'na siŵr.'

Neith o ddim sbio arna i hyd yn oed. Dyna fo, tydw inna'n dda i ddim byd iddo fo chwaith, o ran hynny.

Mi fydda'n well i mi ffonio Em i ddod i fyny, ond wna i ddim sôn wrth Aled. Mae dweud enw Emyr yn ei yrru allan o'i hwyliau.

'Dowch o 'na Nhad, mae'ch uwd chi'n barod.'

Lilian sydd yna wedi dod i fyny at y gorlan i fy nghhwfwr i, a gafael yn fy mraich i 'run fath â taswn i'n gripil.

'Gadwch iddo fo am funud, mi eith yn ei ôl atyn nhw wedi iddo fo gael dod ato'i hun.'

Ond ddywedodd hi ddim byd wrtho *fo*. Dwi'n gwybod bod yn gas ganddi ei glywed o'n rhegi fel'na. Gwyn y gwêl... debyg gen i – ond adra efo fi y daeth yr hen ast.

# Llyr

MAE HI'N NOSI'N braf, un o'r nosweithia yna pan dwi'n falch mod i yn ôl yma, er gwaetha pob dim.

Mae hi'n dawel, dim byd ond ambell sgrech bwncath yn uchel uwch y grug. Mae'r creigia'n codi'n borffor tywyll solat yn erbyn yr awyr, a honno'n adlewyrchu cochni'r haul gwaedlyd wrth iddo fo suddo'n is ac yn is dros y bae. Briw coch anferth yn dripian llwybyr o waed dros y dŵr. Ers talwm mi fyddwn i'n trio dychmygu cerdded ar y llwybyr yna – yr holl ffordd i'r tir draw. Ar hyd y topia fancw mae cyffyrddiad ola'r haul fel tasa fo'n mwytho penna'r creigia cyn iddyn nhw fynd i gysgu – yn union fel y bydda Nain Gwenni yn mwytho 'ngwallt i ers talwm.

Dweud stori Siôn Blewyn Coch i fyny yn y creigia uwchben y Graig, a mwytho 'mhen i nes i mi yn y diwedd anghofio am Shani'r daeargi'n cyfarth yn y tywyllwch. Taid a Nhad fydda'n hela. Mi fyddan nhw'n gyrru'r daeargi i lawr rhyw hen hollt yn y graig, gan ddisgwyl y bydda'r llwynog yn codi. Disgwyl, a disgwyl, a finna yn y gwely yn swatio gan drio peidio â gwrando ar gyfarth Shani yn sownd ymhell o dan ddaear.

Dwi'n dal i'w chlywad hi weithia pan af i fynydd y Graig ar fy mhen fy hun. Mae o'n un o'r synau yna nad yw erioed wedi 'ngadael i o ddifri, ond fydda i ddim yn ei glywed o, dim ond ar fynydd y Graig. Cyfarthiad cryf i ddechra, a'r eco'n neidio o'r naill graig i'r llall, yn ôl a blaen yn ôl a blaen. Wedyn y cyfarth yn troi'n grio, yna'n ymbil tawel dychrynllyd, cyn i'r tawelwch ddod i'm byddaru.

Mi ddoth Shani yn ei hôl ymhen rhyw ddiwrnod neu ddau, ar ôl iddi deneuo a gwasgu'i ffordd 'nôl i wyneb y graig. Ond er iddi ddod yn ei hôl droeon, methu wnaeth hi yn y diwadd. Mochyn daear, medda Taid. Ac yno mae hi byth o dan y creigia i fyny fan'cw. Dim ond fi gollodd ddagra, er mai Shani oedd y daeargi gora fuodd gan Taid erioed, medda fo. Ond chollodd Taid 'run deigryn erioed, dim i mi ddeall beth bynnag, a wnes i ddim dangos mod i wedi bod yn crio chwaith, neu mi fasa Aled wedi dweud wrth bawb yn y tacsi ar y ffordd i'r ysgol.

'Gwawl coch Criciath, haul braf dranwath.' Ac felly mae hi. Mi neith ddiwrnod braf fory, a does gen i ddim byd yn galw. Ella yr af i fyny i weld ydy Aled eisiau help. Mae Anti Lilian yn gwybod fy mod i adra, ond dydw i ddim yn barod i fynd yno eto. Mi fydd Anti Lilian yno'n fy holi fi'n dwll, ac wedyn mi fydd yn rhaid mynd heibio Taid. Pan mae Taid yn fy ngweld i ar ôl i mi fod i ffwrdd am sbel, mae o'n drysu'n lân. Mi fydd o'n mynnu bod yn rhaid iddo fo fynd i helpu Nhad, a'i fod yn brysur yn hel defaid, neu'n torri gwrych, neu rywbeth. Waeth i mi heb â dweud dim. Mae o'n sownd yn y saithdega, ac yn troi dano run fath â rhyw hen dractor dros ei olwynion mewn cors, yn rhygnu a chwyno a rhincian.

Mi fydd o eisiau i mi fynd i nôl hen raglenni Sioe Sir, ac mi adroddith am y canfed tro stori Plancia Bach yn trio'r ceiliog yn y Sioe. Ceiliog dandi, a golwg arno fel tasa fo'n bwyta gwellt ei wely. Mi roedd Plancia Bach wedi bod yn brolio yn y Ship sut roedd ei geiliog dandi fo wedi cael gafael ar frân rhyw fora, ac wedi ei phluo hi'n fyw. Roedd criw'r Ship wedi clywed y stori cyn amled nes eu bod wedi perswadio Plancia i drio'r ceiliog yn y baball ffŷr a ffeddyr, yn y Sioe Sir.

'Arglwy, Plancia, ma'n rhaid 'i fod o'n uffar o geiliog… ffyrst preis gei di… best o brîd.'

A Plancia Bach yn gwrando a'i geg yn agored.

Erbyn y bydd Taid wedi cyrraedd uchafbwynt y stori, pan mae'r ceiliog dandi yn ffendio twll yng ngwaelod y cawell, ac wedyn yn hannar fflio, hannar rhedag trwy goesa'r beirniad, ac allan i'r ring, cyn cael ei ffagio dan olwynion y trap a phoni, mi fydd Taid yn mygu'n gorn ac yn methu'n lân â chael ei wynt.

Wedyn mi fydd yn rhaid i mi redag i nôl Anti Lilian, a hitha efo digon ar ei dwylo fel mae hi.

Wedi meddwl, mi gadwa i'n ddigon pell o'r Graig. Mi af i fyny am yr olchfa. Os cychwynna i'n ddigon bora, mi fydda i i fyny yno cyn i'r tarth godi – a chyn neb arall, os bydda i'n lwcus.

Dwi wedi trio ffonio Alice, ond ches i ddim ateb. Dydw i ddim am ffonio'r tŷ eto rhag ofn i'r llwdwn Colin 'na godi'r ffôn. Mae Colin 'nôl adra rŵan medda Aled; ei wraig wedi rhoi cic yn ei din o, wedi gweld y gola mae'n rhaid. Dwi'n methu deall beth welodd hi ynddo fo'r tro cynta, ond mae yna frîd felly o ferchad – maen nhw'n mynd am y dynion odia. 'Run fath â Wên *sans* brên yn 'rysgol, merchad yn tyrru ato fo dim ond am fod ganddo fo Vauxhall Corsa efo spîcars yn y cefn, a chyfars seti blewog. Digon i droi stumog.

Beth bynnag, yn ôl at ei fam yr aeth Colin – methu sefyll ar ei ddwy droed ei hun. Yn ôl at ei fam a'i hyrddod.

Petha cymhleth ydy teuluoedd – sut ar wyneb daear lân y glaniodd Alice yn rhan o deulu Ty'n Llechwedd? Duw yn unig a ŵyr! A sut y glaniais inna yn y Graig tasa hi'n dod i hynny? Mi fydda Alice a finna'n treulio oriau yn creu storïau am deuluoedd dychmygol, yn creu teulu delfrydol i ni'n hunain. Mi fyddan ni a'n teuluoedd delfrydol yn crwydro'r byd ac yn gweld rhyfeddoda, yn adnabod artistiaid, pobol syrcas, a sêr o bob math. Unrhyw beth cyn belled â bod rhamant a gwreiddioldeb yn perthyn iddyn nhw.

Efalla mai wedi ein gadael ar stepan drws y naill fferm a'r llall oeddan ni, efalla mai tylwyth teg oedd wedi ein gadael ni, neu'r sipsiwn... ella... ella... ella, a'n dychymyg yn rhemp. Wedyn mi fyddan ni'n dau'n ysgwyd ein penna'n drist wrth gofio lle roeddan ni, ac ymhlith pwy roedd ein bydoedd bach diflas ni'n troi. Ac felly y byddan ni'n dau'n breuddwydio am ffordd o esbonio sut nad oedd yr un ohonan ni'n ffitio'n daclus yn y lle 'ma. Rhyfadd ydy sbio ar rywbeth o'r tu allan wedyn. Pan fydda i yn Lerpwl, i fan hyn mae fy meddwl i'n crwydro o hyd, am fan hyn y bydda i'n breuddwydio. Ac am gael fy nerbyn yn fan hyn yr ydw i, a finna bob amsar wedi credu mod i'n casáu'r lle 'ma.

A dyna Alice, fel rhyw löyn byw ysgafn, yn greadigaeth gain, gain, yn llawn hud a dirgelwch. Mae'n rhaid bod yna ryw swyn wedi disgyn arni pan oedd hi'n chwiler, a phan ddaeth yn amser iddi ddianc o'r croen llwyd afiach yna, fe ymestynnodd tuag at yr haul yn greadigaeth lachar.

Bydd yn rhaid imi ddweud hynny wrthi, i mi gael ei chlywed hi'n chwerthin eto. Mi fydda hi'n chwerthin dros y wlad, nes bydda'r sŵn yn bowndio oddi ar y creigia. Wedyn mi fydda hi'n peidio chwerthin yn sydyn, ac yn sbio i fyw fy llygaid i efo'i llygaid dwfn yna ac yn deud,

'Llyr Jones rags an' bôns, ti'm hannar call... ' ac mi fydda hi'n dechrau rhedag, ei choesau hirion yn llamu dros y twmpathau grug, a'i geiriau'n cael eu cipio gan yr awel.

Ac o ben Craig yr Ynfyd dyna ble byddan ni'n edrych i lawr ar bawb wrthi'n trio hel y gwair. Pawb wrthi yn ei gae bach ei hun, ambell i gae'n wyrdd braf a'r adladd yn torri trwodd, un arall yn felyn a'r gwair yn gorwedd, ac un arall wedyn yn dechra cochi'n galed yn y gwres. Pawb wrthi, dim ond yn cymryd cip bob hyn a hyn dros y clawdd. Dim ond weithia i gymharu crop, efalla.

A ninnau'n dau'n doman o chwys, a'n hanadl yn drwm yn gweiddi ar y byd o ben Craig yr Ynfyd.

*Ar ryw brynhawngwaith teg o ha hirfelyn tesog, cymerais hynt i ben un o fynyddoedd Cymru, a chyda mi sbiendrych... i weled tractorau bychan yn dractorau mawr, a ffermwyr a gredo eu bod yn ffermwyr mawr yn ddim ond pryfetach bychain bach yn gwau hwnt ac yma ar biswail byd... a than synfyfyrio deced oedd y gwledydd pell y gwelswn gip o olwg ar eu gwastadedd tirion... a dedwydded y rhai a welsent gwrs y byd...*

Mi wnes i ddarlun ohoni, unwaith, flynyddoedd yn ôl. Cyn codi pac a mynd i weld y gwastadedd tirion. Nid dynwarediad; fyddai hynny ddim yn gweddu i Alice. Na, mi geisiais i roi ei hysbryd hi yn y darlun hwnnw, yr hud yna oedd, ac sydd yn ei chodi hi uwchlaw'r cwm yma. Mi welodd Mam o a dweud ei fod o'n 'llun bach neis, fel y llunia tylwyth teg yna sydd ar galindars'. Ddeallodd hi ddim mai llun o Alice oedd o, diolch i'r drefn. Nid 'neis' ydy Alice. Mi gymerais i siarcol tywyll a newid y llygaid. Ond nid yr un llun oedd o wedyn; roedd yna rywbeth ynddo fo oedd yn gwneud imi deimlo'n annifyr, fel taswn i'n gweld gormod, gweld y tu hwnt i'r llygaid gwyrdd yna. Wnes i ddim byd ag o wedyn. Mi stwffiais o i gefn y wardrob, a dyna ble mae o hyd heddiw, am wn i.

Dyna pam mod i angen ei gweld hi. Rhaid i mi ddod o hyd i rif ei ffôn bach hi, os oes ganddi beth felly.

# Aled

DWI'N GWYBOD MOD i ar fai yn colli mynadd efo Taid fel'na, ond mae o'n gofyn amdani weithia. I be uffarn roedd angan iddo fo ddod i fyny at y corlanna? Mi faswn i wedi medru llwytho'r ŵyn yna a chael pris da, heblaw amdano fo'n rhusio'r ŵyn ac yn drysu'r ast. Mi golles i sêl dda o'i achos o, ond waeth i mi heb. Fedra i ddim gwneud mwy na dwi'n ei wneud yn barod yn y twll lle 'ma. Does yma ddim byd, dim ond wyneb yr hen graig yna'n syllu'n hyll arna i drwy'r dydd, bob dydd. Mae hi'n union 'run fath â llygad fawr lidiog yn fy nilyn i, yn fy ngwylio i, a rhyw hen ddeigryn oer yn llithro o'i chornel, nes troi boch y graig yn llysnafadd gwyrdd afiach.

Nid fel hyn roedd petha i fod. Nid y fi sydd i fod yma. Wnes i erioed ddweud mai dod adra i ffarmio roeddwn i am wneud. Roedd gen i 'nghynlluniau hefyd. Ond wnaeth neb ofyn i mi beth roeddan nhw. Mi benderfynais inna fod gen i ddigon o amser i fod adra am ryw flwyddyn cyn mynd i grwydro, neu i'r coleg i ddysgu crefft. Ond nid felly mae petha'n gweithio yma. Wnacthon nhw ddim dweud mai 'nyletswydd i ocdd bod adra yn y Graig – does yna neb byth yn dweud dim yn y lle yma. Mae yna fwy o eiriau heb gael eu dweud yn y Graig nag sydd o ddafnau glaw yn y niwl. Dim ond edrych arna i fyddan nhw. Edrych a disgwyl.

'Dydy Aled ddim yn hogyn coleg...' Felly bydda

Taid wrthi. 'Nag wyt Aled…? Efo dwylo fel'na… dwylo calad gen yr hogyn 'ma, Em… sbia arnyn nhw…'

Disgwyl i mi ddod adra at fy newyrth, Emyr roeddan nhw. Doedd 'na ddim siâp ffarmio ar Llyr, nag oedd, ac mi roedd yna ormod o waith i Em ar ei ben ei hun, rŵan bod Plancia wedi ymddeol a mynd i lawr i'r pentra i fyw.

'Dwn i ddim be ddaw o'r hogyn 'na sgen ti, Emyr. Tydy Janet wedi llenwi'i ben o efo rhyw hen lol… tynnu llunia a sgwennu bob munud…'

'Gadwch lonydd i Llyr, Nhad!'

Mi fydda Mam yn mynd o'i cho'n lân bob tro bydda Taid yn dechra lladd ar Llyr. Duw a ŵyr pam, fydda hi byth yn cadw 'nghefn i. Mae'n debyg mai achub cam Llyr oedd hi am ei bod hi'n gwybod yn iawn na fydda neb arall ond Janet, ei fam o'n gwneud, a fydda honno byth yn dod yn agos i'r Graig. Wedyn byddai Em yn edrych ar ei draed a mwmian rhywbeth am, 'fel yna mae hi… Llyr ydy Llyr yn de?' Ond mi roedd yn gas ganddo fo glywed Taid yn dechrau arni.

Dim ond Janet fydda'n ddigon dewr neu hurt i herio Taid, ond fedar Janet ddim dod i fyny yma rŵan.

'Mi wneith Llyr yn iawn iddo fo'i hun siŵr,' fydda ateb Mam, gan daflu cipolwg nerfus ar Em, a hwnnw'n edrych yn syn ar y twll yn ei hosan. 'Tydy pawb ddim yn gwirioni 'run fath.'

Wedyn mi fydda hi'n edrych yn wyllt ar Taid, ac yn pwysleisio'r geiriau fel tasa hi'n dweud rhywbeth cymhleth wrth hogyn bach. 'Mae Llyr yn *greadigol* 'yn tydy, ac Aled… wel Aled ddaw atoch chi i ffarmio siŵr…'

Pwy benderfynodd mai fi oedd yr un oedd wedi gwirioni ar godi i borthi ar fore o niwl rhewllyd ynghanol mis Ionawr, a ffendio bod rhyw ddiawl wedi dwyn y cwad? Dydw i ddim yn cofio codi'n llaw a dweud, 'o mi wna i', dwi wedi gwirioni ar y ffycin syniad. Ac os oes yna rywun â diddordeb, dwi'n meddwl mod inna'n ddiawl o greadigol i fedru dychmygu gwneud bywoliaeth yn rhygnu byw mewn twll fel hwn.

Waeth imi heb â hefru ddim. Mi ges i 'nghyfla, a'i luchio fo i'r gwynt – er na, nid ei luchio fo chwaith, ond gadael iddyn nhw'i gipio fo oddi arna i wnes i. Ac ar Taid mae'r bai am hynny hefyd. Mi ddywedodd Emyr wrtha i am fynd. Achos mi roedd Em yn gwybod. Mi ges i gynnig mynd efo Rhys Wenallt i Seland Newydd i gneifio am dymor, ond fedra Taid ddim diodde'r syniad. Mynnu mod i'n rhy ifanc i fynd i ben draw'r byd. Mi boenodd Mam nes ei bod hi'n sâl, ac ar Taid roedd y bai, yn stwffio'i phen hi efo straeon am awyrennau'n disgyn a rhyw drychineba dwl. Gaddo y byddwn i'n cael mynd y flwyddyn ganlynol wnaeth y ddau, ond erbyn y flwyddyn honno roedd hi'n rhy hwyr.

Reit, waeth i mi heb â stwna yn fan hyn chwaith. Mae yna ddafad ac oen diarth ar y ffridd, ond mi fydd yn rhaid mynd i nôl Meg o'r Weirglodd – mi ddengodd at Taid bora ddoe. Mi fydd wedi'i mwytho, a'i bwydo hi mwn, i drio ei chael hi i aros efo fo yn ei gartra yn y Weirglodd.

Mae'r Weirglodd yn dawel, dim smic, ond mae'r drws yn llydan agored, a welingtyns Taid wedi'u parcio yn daclus y tu allan. Maen nhw'n llawn o ddŵr glaw.

Dwi'n mynd i mewn ac yn gweiddi.

'Dach chi'n iawn, Taid?'

'Pwy sy 'na?' medda fo. Mae o â'i ben yn y twll dan staer yn chwilio am rywbeth.

'Yr Ayatolah, pwy dach chi'n feddwl sy 'ma?'

'Ar y trên ola? Pa drên? Tydw i ddim yn mynd ar y trên i nunlla, hen betha peryg…' medda fo o'r cwpwrdd.

Mae hi'n ddigon hawdd deall pan fydd Taid wedi cynhyrfu, mae ei lais o'n codi'n wichlyd.

'Blydi hel… dyma ni eto!'

'Ti sy 'na, Aled? I be sydd isho rhegi bob munud?'

Mae ei glyw o'n iawn, beth bynnag, hyd yn oed os ydy ei feddwl o wedi cael traed.

Mae o'n straffaglu allan o'r twll dan staer, yn trio dal ei afael yn rhywbeth efo un llaw a halio'i hun allan o'r twll efo'r llall. Mae o'n gafael yn dynn mewn bocs pren. Bocs efo drws bach yn ei ochor o. Rydw i'n cofio'r bocs yna yn y Graig – mi fyddan ni'n rhoi ŵyn bach ynddo fo a'u rhoi nhw wrth y stôf pan oeddan nhw'n bygwth trigo.

'Be dach chi'n wneud efo hwnna?' Dwi'n trio estyn amdano fo, ond chaf i ddim cymryd y bocs oddi arno er ei fod o'n glamp o beth anhylaw i drio'i gario. Mae o'n sythu, a throi ei gorff ar hanner tro oddi wrtha i fel hogyn bach yn gwrthod rhannu â neb. Mae'r drws bach yn hongian yn agored – mae'r bocs yn wag. Mae Taid yn baglu ei ffordd yn simsan trwodd i'r gegin ac yn gosod y bocs i lawr o flaen y tân.

'Be wnewch chi efo fo yn fan'na?' Lle dwl i adael dim byd, yn union o flaen y tân.

'Fi sy pia fo!' medda fo'n groes, fel taswn i am stwffio'r bocs o dan fy nghôt a'i g'leuo hi am y drws.

'Ia, dwi'n gwybod hynny. Dydw i ddim isho'ch hen focs chi, siŵr dduw. I be ydach chi ei angan o yn fan yna o flaen y tân, Taid?'

'Meindia dy fusnas!'

A dyna wnes i. Waeth i mi heb â thrio dal pen rheswm efo'r bwbach gwirion.

Does ar Meg ddim rhyw lawer o awydd symud. Mae hi'n gorwedd fel breulhines ar gôt Taid yn gwylio'r ieir wrth ddrws y cefn. Ond mae hi'n dŵad ling di long yn y diwedd.

Wrth i mi gyrraedd giât y ffridd mae'r niwl wedi dod i lawr ac yn cydio amdana i 'run fath â gwe dawel. Mae o'n niwl od rhywsut, yn gynnas a thyner, yn lapio amdana i gan bylu pob un synnwyr. Mae o'n glynu at y grug, ac yn gwneud iddyn nhw sgleinio i gyd, ac yn aros ar benna'r brwyn fel dagra llonydd.

Dwi'n gwybod am wal y ffridd, gwybod am bob carreg a thwmpath brwyn, dwi'n gwybod yn iawn am y ffos fach a'r rhipyn gwlyb o siglen sydd rhaid i mi ei chroesi cyn cyrraedd at y ddracnen a llwybyr y mynydd. Dwi'n gwybod, os medra i gael fy nhroed ar y twmpath brwyn ucha acw a neidio, y bydda i a 'nhraed yn sych.

Ond dydy petha ddim yn iawn heddiw. Prin y medra i weld blaen fy nhroed heb sôn am yr un ddafad ac oen. A dyma fi wedi methu'r llwybyr nes mod i ynghanol y siglen. Dwi'n trio straffaglu i ddod yn rhydd, yn tynnu fy hun i fyny allan o'r llysnafadd, a hwnnw'n cydio am fy nghoesa i fel rhyw wefus fawr afiach yn sugno, sugno. Dwi'n rhegi a bytheirio a thasgu baw a gwlybaniaeth i bob man. Dwi'n teimlo'r chwys ar fy nghefn ac o dan fy ngheseilia; mae yna laid oer gwlyb yn treiddio heibio ymylon fy sgidia, ac i mewn i fy sana. Rydw i'n anesmwytho, mae yna ryw hen deimlad tywyll yn dod drosta i... yn ara bach dwi'n tawelu, ac yn gwrando. Mae hi'n dawel, dawel. Does yna 'run smic, fel petai'r niwl wedi lapio am bopeth a'i fygu. 'Run bref na chrawc brân na hewian yr un bwncath, dim hyd yn oed anadliad yr ast ddefaid. Dim ond sŵn byddarol y curiadau yn fy nghlustiau, sŵn curiadau ofn ydyn nhw – dwi'n gwybod.

Dwi'n ein cofio ni'n blant yn herian ein gilydd i gerdded trwy'r fynwent wedi iddi nosi. Roedd yno un hen fedd cist a'r caead carreg wedi symud ychydig oddi ar y bedd. Yno, roedd yn rhaid aros a chyfrif i ugain cyn cael dianc oddi yno. Doedd hynny'n poeni dim arna i, a dwi'n ein cofio ni'r hogia'n chwerthin nes ein bod ni'n sâl wrth weld Llyr, a'i wyneb llwyd, yn sgrialu allan trwy'r glwyd fel tasa cŵn y fall ar ei ôl.

Cŵn y fall? Mae Meg wedi swatio wrth fy nhraed a'i chlustiau yn ôl gan wneud rhyw sŵn chwyrnu isel yn ei gwddw. Rydan ni'n dau'n aros yn llonydd, llonydd, a dafnau'r niwl yn ffurfio'n gleiniau bach disglair ar gefn fy llaw. Mae gen i ryw deimlad rhyfedd nad fi ydy'r unig un yno yn y niwl. Rydw i'n troi'n ara bach yn fy unfan i wynebu 'nôl am giât y ffridd. Dydw i'n gweld dim i ddechra, yna wrth graffu dwi'n siŵr mod i'n medru gweld amlinell lwyd, yn union fel petai rhywun â'i gefn ata i yno'n swatio ym môn y clawdd. Ond efalla mai carreg sydd yno, er nad ydw i ddim yn cofio gweld carreg yno o'r blaen. Mae'r amlinell yn chwalu'n rhith weithiau wrth i rubanau'r niwl symud ar chwa sydyn o awel. Dwi'n siŵr ei fod o yno, ac eto, wrth i'r niwl lacio wedyn does dim golwg o'r cysgod llwyd.

Rydw i eisiau galw ei enw fo, galw arno fo trwy'r niwl, ond fedra i ddim.

'Paid â bod mor hurt,' mae'r llais yn fy mhen yn fy ngwatwar, ond eto fedra i ddim mynd ymlaen. Mae rhywbeth yma'n fy nal, yn union fel tasa gwe'r niwl wedi datod yn edau, a honno'n fy nal, yn sownd. Agoraf fy ngheg ond dim ond sibrwd ei enw fo dwi'n ei wneud wrth anadlu.

'Em, chdi sy na?'

# Lilian

Doedd Nhad ddim hanner da wedyn pnawn yma, yn pesychu ac yn gaeth sobor. Roedd Aled wedi bod heibio, medda fo, yn trio dwyn rhyw hen focs pren oddi arno fo. Duw a ŵyr i be. Ac mi fethais i'n lân a'i gael o i roi'r bocs yn ôl yn y twll dan staer, er ei fod o'n beryg bywyd lle gadawodd Nhad o. Mi fydd wedi baglu ynddo fo a mynd ar ei ben i'r tân.

Pam bod yn rhaid i'r ddau fod mor groes wrth ei gilydd? Mae Aled fel petai o'n trio'i gynhyrfu fo o hyd a waeth i mi heb â dweud gair. Mae o'n gwybod bellach faint o waith i mi ydy trio'i dawelu fo, pan fydd o wedi mynd o'i go. Rhyfedd i Aled droi cymaint yn ei erbyn o, a fynta'n trio gwneud popeth i'w blesio pan oedd o'n hogyn, a Mam yn dal yn fyw. Wedyn y newidiodd petha mae'n debyg – doedd yna ddim byd byth yn ddigon da gan Nhad wedyn.

Dwi'n cofio rhyw dymor wyna, cyn codi'r sied, ac Aled ac Em wedi bod wrthi hyd berfeddion, a hitha'n dywydd gwlyb ac oer. Dwi'n cofio'r ddau'n dod yn ôl i'r tŷ yn y bora, yn wlyb at eu crwyn. Mi roedd gan Aled oen bach newydd ei eni dan ei gôt, ar ôl i'r brain fod wrthi'n ei hambygio fo. Doedd yna ddim golwg o'r fam. Dwi'n cofio Aled yn rhoi'r oen triglyd yn yr hen focs yna o flaen y stôf yn y Graig, a dyna pryd yr aeth Nhad o'i go a tharanu am nad oeddan nhw'n bugeilio fel y bydda fo'n arfer gwneud. Eu cyhuddo nhw o beidio â bod yn ddigon gofalus, o adael i betha fynd. Mae'n debyg mai blin efo fo'i hun roedd o, yn methu gwneud fel y bydda fo. Ond dyna un o'r troeon cynta i mi fod yn wironeddol eisiau rhegi Nhad. Dwi'n cofio meddwl nad oedd hi'n deg cadw Aled yma, ond fedrwn i ddim gadael iddo fo fynd; fedrwn i ddim diodda'i golli fo hefyd.

Mi drodd Aled i'w wynebu. Roedd ei wyneb o'n wyn a rhyw dân rhyfedd yn ei lygaid. Mi gymrodd gam tuag at Nhad.

Bachgen oedd o, dim ond rhyw un ar bymtheg, cyn iddo ddechra gyrru beth bynnag. Dwi'n cofio Em yn camu rhyngthyn nhw ac yn rhoi ei law ar fraich Aled.

'Paid,' medda fo'n dawel, dawel. Wedyn mi estynnodd oriada'r pic-yp, eu rhoi nhw i Aled a dweud wrtho fo am fynd − i chwilio am laeth powdwr i'r oen o rywle − jest iddo fo fynd o'no am sbel.

Wedi i Aled fynd trodd Em i wynebu Nhad.

'Fedar neb wneud mwy yn y lle ma,' medda fo, heb godi ei lais. 'Gadwch lonydd i'r hogyn, neu ar eich pen eich hun y byddwch chi, a neb ond yr hen graig 'na'n aros, ac yn eich ateb chi'n ôl.'

Fydda Em byth yn codi ei lais − dim hyd yn oed efo'r cŵn. Fydda fo byth yn pregethu. Doedd geiriau ddim yn betha i'w lluchio rywsut-rywsut gan Em. Mi wisgodd ei ddillad oel gwlyb yn ôl amdano, ac allan â fo 'nôl i'r glaw.

Mi bicia i heibio'r syrjeri i weld a fedar un ohonyn nhw ddod i'r golwg yn fuan. Does yna neb wedi bod yma ers tro, a waeth i mi heb â meddwl am fynd â Nhad i lawr yno. Rydw i angen mynd i'r cemist beth bynnag. Mae gen i ryw bigyn yn fy mrest o hyd – gweddillion peswch yn gwrthod clirio mae'n debyg, neu fod y lleithdar yma'n dechra deud arna i.

Mae'r gwahaniaeth rhwng y dre a'r Graig yn rhyfeddol, er nad ydan ni ond rhyw ychydig filltiroedd o'r môr. Mae'r hen fynydd acw'n tynnu'r niwl a'r glaw. Roedd yn niwl dopyn yn y Graig pan gychwynnais i, a dyma hi'n haul cynnas yn dre, a'r bobol ddiarth yn dyrra ar hyd y stryd yn eu dillad glan y môr. Mae hi wedi prysuro, teuluoedd ar eu gwylia – braf arnyn nhw – yn brams, bwcedi, rhawia a hufen iâ. Y rhan fwyaf yn crwydro'n fodlon o ffenast siop i ffenast siop, rhai yn dechrau dweud y drefn ac ambell blentyn yn cael sterics am fod y tadau'n gwrthod gwario ar chwanag o nialwch mae'n debyg. Mi arhosais am funud i edrych arnyn nhw… yn enwedig y rhai cecrus. Tasan nhw ddim ond yn gwybod be sydd o'u blaena nhw mi fydda'n rheitiach iddyn nhw drio cymodi o lawer.

Mae'r syrjeri'n dawel, diolch i'r drefn, pawb am fod allan yn yr haul, mae'n debyg. Mae'r lle 'ma'n llawn i'r ymylon bob tro mae hi'n bwrw, fel tasa pawb yn dioddan o'r felan, neu'n methu meddwl am ddim byd gwell i'w wneud ar ddiwrnod glawiog.

'A sut wyt *ti*'n cadw, Lil?' holodd Dr Davies, ar ôl i mi gael addewid y bydda fo'n dod i weld Nhad yn fuan. 'Sut mae bywyd yn dy drin *di*?' medda fo wedyn.

Dydw i ddim yn siŵr sut i ateb gan fy mod i'n teimlo braidd yn annifyr. Be mae o'n ei olygu wrth holi 'sut mae bywyd yn dy drin di?' Yn union yr un fath ag rydw inna'n trin bywyd mae'n debyg – tydw i ddim yn disgwyl rhyw lawer erbyn hyn. Dyna fo, tydw i ddim yn cael llawer o amsar i feddwl sut mae bywyd yn fy nhrin i, dim ond pan gyrhaedda i 'ngwely. Amsar hynny bydda i'n dechra meddwl, dechra a methu stopio meddwl wedyn. Amsar hynny bydda i'n difaru hefyd. Difaru na fyddwn i wedi bod yn fwy dewr, yn fwy penderfynol, wedi wynebu petha a pheidio â chladdu 'mhen yn y tywod.

'Iawn,' rydw i'n ateb yn bendant reit. 'Mae bywyd yn fy nhrin i'n iawn, diolch i chi, Dr Davies.' A dyna pryd y gwnes i feddwl efalla y bydda'n well i mi sôn am y pigyn yng ngwaelod fy mrest i – mae'n haws sôn am hwnnw, na'r boen arall, achos mae o'n brifo llai. Wedyn mae o'n rhoi fy enw i lawr i mi gael x-ray, neu rwbath felly. Hawdd ydy trin poena fel'na ynte, chadal y lleill. A dyma fi allan yn yr haul.

Er bod yn rhaid i mi fynd yr holl ffordd ar hyd y ffrynt i'r pen draw cyn cael lle i barcio, dydy hynny ddim yn fy mhocni. Mae gwynt y môr yn iach a'r haul yn gynnas ar fy ngwar. Biti na faswn wedi gwisgo ffrog neu sgert ysgafn yn lle'r hen drowsus a'r jersi drom yma. Roedd gen i ddillad del ers talwm. Mi weles i ffrog yn ffenast y siop newydd yna wrth basio ac roedd hi'n fy atgoffa o ffrog oedd gen i pan own i'n ifanc… Ffrog wen efo rhyw batrwm gwyrddlas trwyddi. Meic fydda'n licio honno, ac yn dweud bod y patrwm yr un lliw â fy llygaid i. Defnydd ysgafn *cheesecloth* oedd hi – dyna be oedd ganddon ni ers talwm, a finna'n meddwl mod i'n rêl un ynddi. Mae gen i awydd mynd i edrych faint ydy honno welais i yn ffenast y siop. Chefais i ddim ffrog ha' llynedd, chawson ni mo'r tywydd i wisgo 'run. Ac eto i be waria i, does gen i nunlla i fynd i'w gwisgo hi?

Mi gostiodd ddigon, ond rydw i'n falch mod i wedi ei phrynu hi – mae hi'n ysgafn braf. Wrth i mi deimlo'r defnydd tena rhwng fy mysedd, mae hi'n mynd â fi yn ôl i'r dyddiau hynny yn yr ha' a ninnau'n ifanc. Rhaid i mi ddechra byw eto, dechra mwynhau.

'Lil! Anti Lil…' Daw'r llais o gyfeiriad wal y prom. Dydw i'n gweld neb i ddechra, ond Llyr ydy o, yn eistedd ar y wal, yn union fel un o'r bobol ddiarth, mewn siorts a sandals a heb ei grys. Dydw i ddim wedi'i weld o ers tro – mae o wedi llenwi. Ddim mor eiddil rhywsut.

'Lle dach chi'n mynd ar ffasiwn hast?' Mae'r chwerthin yna yn ei lais o, fel tai o'n fy ngweld i'n un wirion.

'Mynd i'r cemist i nôl tabledi Taid,' dwi inna'n atab.

A be ddyliach chi ddeudodd o wedyn? 'O biti!' fel tasa fo wedi gobeithio mod i'n mynd i wneud rhywbeth llawer mwy difyr fel… sgota crancod.

'Dowch i ista yn yr haul am dipyn, Anti Lil, mi fydd Taid yn iawn.'

Mae o'n dweud y geiria ola'n ddistaw, fel tasa fo wedi deall nad oes ganddo fo hawl i ddweud bod Nhad yn iawn, achos dydy o ddim wedi bod ar ei gyfyl o ers misoedd. Felly sut y gŵyr o fod ei daid yn iawn?

'Ers pryd wyt ti adra?' Dwi'n difaru gofyn yn syth. Mi fydd yn meddwl mod i'n ei gyhuddo fo rŵan o beidio â dod i'r golwg.

'Dim ond ers dydd Sul. Dwi ar fy ffordd i fyny acw… ydy Aled yn brysur?'

'Digon i'w wneud, sti… ond mi fydda fo'n falch o dy weld di, Llyr, ac mi fydda dy daid yn falch hefyd.'

Dwi'n teimlo na fedra i siarad hefo fo heb wneud iddo deimlo'n euog, a dydw i ddim eisiau iddo fo deimlo felly. Does yr un ohonon ni'n dau yn gwybod beth i'w ddweud nesa rhywsut.

'Sut ma'r gwaith?' Fi sy'n meddwl gynta. Mae sôn am waith yn reit saff, yn tydy?

'Iawn, chi, ond dwi'n falch o'r gwylia – dod adra am sbel i edrych fedra i gael rhyw ysbrydoliaeth o rywle!'

'A dyma ti yng nghanol hetia *Kiss me quick*, yn fan yma – lle da am ysbrydoliaeth ddeudwn i.'

Rydan ni'n dau'n aros i wylio'r olygfa o'n blaena ni.

'*Don't pick it up it's derty, look.*' Mae'r fam yn taro'r hufen iâ o law'r bachgen bach, sy'n benderfynol o'i ailgodi oddi ar goncrit llychlyd y prom.

'*Leave it will ye, Jeys. Will ye tell 'im, Malcom?*'

Mae hithau'n mynd yn ei blaen gan wthio plentyn gwinglyd arall yn y goetsh simsan.

'*Come on lad,*' meddai'r tad, gan estyn yn gyndyn y corneto wedi hanner ei gnoi a'i gynnig i'r bachgen.

'*Uah, that's been in your mewth,*' meddai hwnnw.

Mae'n codi'i freichiau a sgrechian ei ddicter ar yr wylan sy'n llygadu'r hufen iâ yn y tywod.

Mae'r tad yn cerdded yn ara bach y tu ôl i'r wraig a'r goetsh, ac yn llowcio'r corneto gan gadw un llygad pryderus ar yr wylan dew.

'Fysach chi'n licio hufen iâ, Lil?'

Mae Llyr yn mynd i nôl hufen iâ i'r ddau ohonon ni, ac rydan ni'n eistedd ar wal y prom yn mwynhau'r haul ar ein cefna.

'Anti Lil!' trodd Llyr ac edrych arna i'n sydyn, a'i lygaid yn goleuo. 'Ydach chi'n gwybod lle mae Alice Ty'n Llechwedd y dyddia yma?'

'Be wyt ti'n feddwl?'

'Ydy hi'n dal i fyw adra?'

'Na, dwi'm yn meddwl.'

Mae dafnau o'r hufen iâ'n disgyn i frethyn trwchus y jersi ac yn diflannu.

'Lle mae hi 'ta?'

Roedd o'n edrych arna i fel taswn i'n mynd i roi'r ateb i un o gwestiynau mawr y byd iddo fo.

'Mi roedd hi'n byw i fyny yn y Gelli mewn carafán, ond fedra i ddim deud wrthat ti os ydy hi'n dal yno.'

'Yn y Gelli? Pwy sydd yn fanno rŵan?'

'Jay, ne rwbath ydy ei enw fo dwi'n meddwl – y boi yna efo'r ceffyla.'

Dwi'n gwybod yn iawn beth fydd y cwestiwn nesa.

'Ydy'r ddynas yna'n dal efo fo?'

'Dwi'm yn gwybod, Llyr.'

Un llwfr fues i erioed.

'O.'

Mae'r haul yn chwilboeth trwy'r jersi, a dwi'n troi i edrych ar y traeth. Dydw i ddim wedi bod â fy nhraed yn nŵr y môr ers blynyddoedd. Mae sgrechian y plant wrth redeg ras â'r tonnau yn codi'n un â sgrech y gwylanod sydd yn cecru wrth bigo trwy'r bagiau sglodion ar y llawr. Y mamau'n gorwedd, a'r tadau'n ceisio cadw pawb yn hapus trwy adeiladu cestyll tywod, neu bysgota crancod yn y pylla. Fedra i ddim cofio i Nhad na Mam erioed fynd â ni i lan y môr. Roedden ni'n rhy agos at y môr, mae'n debyg, a nhwytha'n rhy brysur yn trio gwneud rhyw fath o fywoliaeth allan o'r Graig. Dim ond ar ddydd Sul, os na fydda 'na bregath, y byddan ni'n mynd am dro – Em a finna yng nghefn y car wedi cynhyrfu ac yn teimlo'n sâl ymhell cyn cyrraedd y môr. Mynd am dro yn y car i weld hen eglwysi neu fynwentydd. Mynd heibio hwn a hwn, neu hon a hon, ac Em a finna'n gorfod ista'n ddistaw yn gwrando ar sgwrs pobol hŷn, ac yn gobeithio y basan ni'n cael jeli a ffrwt coctel i de.

Ond dwi'n cofio i Em a finna gael dod i lan y môr ein hunain unwaith, pan oedden ni'n aros efo Dodo Kate. Dwi'n cofio prynu fflagia bach yn siop y Belle Vue i'w rhoi ar ben cestyll tywod, a ffraeo pwy oedd yn gorfod cymryd baner Lloegr – doedd yna 'run efo Draig Goch yn y pecyn yr adeg honno. Dwi'n cofio Em yn cytuno i roi baner yr Eidal i mi, am ei bod hi'r un lliwiau â baner Cymru, ond roedd hynny ar yr amod mod i'n cymryd Jac yr Undeb hefyd. Wedyn, rhannu'r fflagia'n gyfartal, pedair i Em a phedair i mi. Gyferbyn roedd yr arcêd a pheiriannau lliwgar y *one armed bandits* yn goleuo'r tywyllwch oddi mewn. Ninna'n ysu am fynd yno, ond doedd ganddon ni ddim byd ar ôl wedi inni brynu'r fflagia a phrynu presant i Mam. Modrwy gawson ni iddi hi, modrwy efo carreg fawr werdd ynddi, neu o leiaf mi roedd yn edrych fel carreg werdd. Dwi'n cofio bod yn siomedig rai misoedd wedyn o weld y fodrwy ar jest o drôr Mam, a'r wyneb esmwyth gwyrdd wedi pilio oddi ar y garreg fel croen oddi ar grachen gan adael dim ond hen liw rhwd budur ar ôl.

Mi ddylwn i fod wedi cofio hynny pan wnes i gyfarfod â *fo*. Gwirioni ar yr olwg gynta fu'n hanas i erioed. Mi wnes i wirioni arno fo 'run fath yn union â gwirioni ar y fodrwy yna ers talwm – heb gysidro beth oedd y tu ôl i'r wyneb fflash. Erbyn i mi ddeall faint oedd dyfnder ei addewidion o i mi, roedd o wedi hen ddiflannu, a 'ngadael i ac Aled i fynd yn ein holau i'r Graig.

'Dowch 'laen 'ta!' medda Llyr, gan neidio oddi ar y wal. Mae o wrthi'n tynnu ei sandalau, a'u lluchio ar y tywod.

'Dowch 'laen, tynnwch yr hen sgidia trwm yna,' medda fo.

*'Anti Lil a finna yn mynd i ddŵr y môr –*
*Lilian yn codi'i choesa a deud bod y dŵr yn oer!'*

Mae o'n bloeddio canu dros y traeth nes bod pawb yn sbio'n wirion arno. Ond rydw inna'n tynnu oddi ar fy nhraed, a'i ddilyn o i lawr at y tonna. Dydy'r dŵr ddim yn oer. Edrychaf i lawr ar fy nhraed gwynion yn suddo yn y swnd. Mor hawdd fydda gorwedd yma, a gadael i'r tonnau olchi drosta i, 'nôl a blaen, 'nôl a blaen. Yna gadael i'r swnd esmwytho pob ongl galad oddi arnaf, nes i fy esgyrn i droi'n glaerwyn a llyfn fel hen gangan o froc môr.

# Alice

Dwi'n llithro allan o'r gwely'n dawel, dawel, ac yn camu ar flaena 'nhraed i'r stafell molchi. Mae'r niwl wedi codi, a draw am y môr mae'r haul i'w weld yn trio gwthio trwy'r hacnen dena yna o gwmwl, sydd fel petai o bob amsar yn trio'n mygu ni. Ond erbyn pnawn 'ma dwi'n credu mai'r haul sy'n ennill. Na, dwi'n *gwybod* bod yr haul am ennill, mae gen i ffydd! Mae'n ddydd San Swithin fory, ac mae'r niwl yn cilio – felly ha hirfelyn tesog gawn ni! Ha hirfelyn tesog yn llawn barbyciws a phartis gwyllt, a chysgu dan y lloer, a nofio yn yr olchfa, a seidar oer, a dawnsio ar ben byrdda a... Dwi'n mynd i gael ha gora 'mywyd leni. A dyna fo.

Ond cyn hynny, yn anffodus, rhaid i mi weithio.

Dwi'n gwisgo'n ara deg, ac yn dawel. Dydw i ddim am ddeffro Jay, er na ddyla fo fod yn cysgu o gwbwl, ganol pnawn fel hyn. Ond erbyn i mi ddod i lawr o'r ffridd amser cinio mi roedd o wedi bod yn dathlu gorffen rhyw lun ne' rywbeth. Mi roedd o'n eistedd ar stepan y garafán, ac mi roedd o'n llanast.

'*I'm cthelebrating, Alithe,*' medda fo. '*Come on and thee what I've jutht done!*'

Dilynais o i'r tŷ. Roedd ganddo fo dân coed yn llosgi. Doedd yna 'run awel i dynnu'r mwg i fyny'r simdda, felly mi gamais o'r niwl y tu allan i mewn i niwl glas, drewllyd, cynnas y gegin fach.

Doedd gen i fawr i'w ddweud wrth ei luniau fo a

dweud y gwir, ond dyna fo. Does yna ddim byd ynddyn nhw – dim ond rhyw fwrllwch o liwia'n gwau trwy'i gilydd. A heddiw prin y medrwn i weld y palis heb sôn am y llun oedd yn pwyso arno. Doedd o ddim fel lluniau Llyr. Mi fydd iasau yn mynd i lawr fy nghefn wrth edrych ar y llun hwnnw wnaeth Llyr o'r olchfa.

Ond canmol wnes i, chwarae teg. Dwi'n hoffi Jay, mae o'n hen foi iawn. Ac fel bydd petha'r dyddia yma, wedi i Pixie fynd yn ei hôl am Fanceinion mi aethon ni i'r gwely am y pnawn. I aros i'r niwl godi.

Rydw i'n camu'n ofalus i lawr y grisia ac i'r gegin. Mae'r tân wedi diffodd, a dim ar ôl ond ogla'r mwg yn glynu ym mhopeth. Caeaf y drws yn ddistaw ar fy ôl a mynd i'r garafán i newid.

Tynnaf un o fy ffrogia o'r cwpwrdd, ffrog fach dena, ysgafn. Lluchiaf y welingtyns allan dan y to sinc a gwisgo sgidia ysgafn am fy nhraed. Mae'r awyr yn llaith a chynnas a gallaf deimlo 'ngwar yn boeth o dan fy ngwallt. Mi fydd yn afiach o glòs yn y Ship heno, ond efalla y bydd y rhan fwya'n eistedd y tu allan yn yr ardd.

Nos Fawrth – gobeithio na fydd yna lawer angen bwyd. Does gen i ddim awydd gweini ar lond y lle o bobol ddiarth bigog. Dydy bwyd y Ship ddim cweit o'r un safon â'r Ritz, er bod Mags yn trio'i gora. Felly fi sy'n gorfod dal pen rheswm efo'r bobol ddiarth pan fyddan nhw'n cwyno. Ac mae yna amball hen drwyn – yn enwedig y rhai carafanna – mae'r rheiny fel tasan nhw isho cwyno am bob dim. Maen nhw'n meddwl mai dewines ydw i ac mai arna i mae'r bai am bob dim sy'n digwydd iddyn nhw tra eu bod nhw yma ar eu gwyliau.

Fel taswn i'n medru clecian fy mysedd i wneud i'r glaw beidio, neu roi ordors i'r cyngor i ledu'r ffordd, neu hyd yn oed mynnu bod y traeth yn dod i fyny'n nes at eu maes carafannau nhw. Diawliad gwirion. Wedyn pan fydda i wedi gwrando ar eu holl gwynion nhw, bydda i'n gwenu'n ddel wrth sodro platiad o chips seimllyd a *lasagne* crimp a phys tun o'u blaena nhw, ac yn ei baglu hi'n ôl i'r bar.

Yn y bar dwi'n licio bod. Fan honno mae'r hwyl i'w gael, efo'r hogia.

Dwi'n llusgo'r beic o ganol y shatlach sydd dan y to sinc ac yn neidio arno. Mae'r awel yn gynnas braf. Wrth droi'r gornel gwelaf Plancia ar ganol y ffordd. Rhaid tynnu'n ffyrnig i un ochor, rhag imi ei daflu fo i'r gwrych. Mae'r beic yn sgrialu a'r brêcs yn gwichian cyn stopio fodfeddi o'r ffos.

'Arglwy… cymar bwyll hogan,' medda'r hen griadur wedi cynhyrfu trwyddo. Mi ddois oddi ar y beic i weld oedd o'n iawn.

'Dach chi'n iawn, Plancia?' gofynnaf, gan gydio dan un fraich i'w sadio fo.

'Yndw, ond dal dy afal yndda i am funud, rhag ofn i mi fynd ar fy nhrwyn,' medda fo, a gwasgu 'mraich i a chwerthin dros y lle.

'Un drwg ydach chi, Plancia Bach,' medda finna yn trio tynnu 'mraich yn ôl.

'Drwg o ddiawl, dim hannar mor ddrwg â'r hen Bicasso 'na sy yn y Gelli!' medda fo wedyn, a chwerthin nes plygu yn ei hanner i besychu.

'Dowch, mi awn ni'n ara deg.' A dyna fi'n trio llywio'r

beic efo un llaw a gafael ym mhenelin Plancia efo'r llall, a cherdded linc di lonc i lawr Hwylfa Lydan am y pentra.

'Lle buoch chi, Plancia?' gofynnaf.

'I fyny yn y Graig wel'di, i edrych sut mae petha yno,' meddai gan stopio i gymryd anadl ddofn. 'A heibio'r Weirglodd wedyn. Dydy'r hen Iori Jones ddim yn dda sti. Ffwndrus ddiawledig.'

Mae'n rhaid i'r ddau ohonan ni aros wedyn er mwyn i Plancia gael pwyso ar giât y fynwant i gael ei wynt ato.

'O?'

Doeddwn i ddim wedi bod i fyny yn y Graig ers i Emyr fynd.

'Oedd Lilian yn iawn?'

Mi fyddai Lil yn dod draw at Mam i Ty'n Llechwedd ers talwm, ond roedd ganddi ormod ar ei dwylo rŵan mae'n debyg – rhwng gofalu am yr hen ddyn a helpu Aled.

'Weles i mohoni, cofia. Mi fues i'n taclo chydig 'sti. Mae yna ormod o waith i un yno, a rhyw hen fanion angan i'w gwneud o hyd.'

'Oes gan Aled rywun yn dod ato fo i'w helpu weithia 'ta, Plancia?' holaf.

'Esu nag oes. Fasa neb yn gallu gwneud efo fo siŵr dduw… mae o'n ddiawl o un blin sti.'

'O.'

Mi fydda Llyr a finna'n mynd i fyny heibio'r Graig yn amal, i fyny at y ffridd a Chraig yr Ynfyd fel arfer. Mi fydda Llyr yn cario'i lyfr bach efo fo, a dyna ble bydda'r ddau ohonan ni'n eistedd yn y grug. Yn dawel weithiau, er mwyn i Llyr gael sgetsho, a finna'n gorwedd yno'n mwynhau'r haul ar fy nghefn. Weithiau, mi fyddan ni'n sgwrsio am hyn a'r llall, meddwl be fydda'r ddau ohonan ni'n hoffi ei wneud. Gwneud bywoliaeth o dynnu lluniau fyddai uchelgais Llyr. Fyddai gen i ddim syniad, ac felly rydw i o hyd – dim ond byw o ddydd i ddydd. Pan oeddan ni'n ifanc byddai Aled yn dod efo ni i chwarae ar y creigia, ond wedyn roedd yn rhaid iddo fo helpu efo'r ffarmio. Roeddwn i wastad yn teimlo drosto fo, ond dyna beth roedd o eisiau ei wneud, medda Llyr. Ffarmio a dim byd arall, dyna roedd Aled wedi bod eisiau ei wneud erioed.

Gadawaf Plancia wrth ddrws y Ship a mynd â fy meic i'w gadw yn y cefn. Mae'r bar yn dywyll a gwag heblaw am gwpwl canol oed yn yfed haneri stowt yn y snyg.

'*Hi there!*' dwi'n eu cyfarch wrth basio i'r gegin, a lluchio clamp o wên deg i'w cyfeiriad nhw. Y bobol sydd pia'r Waun Hir ydyn nhw, er nad dyna ydy enw'r lle bellach. Rhywbeth fel Withybush, neu Bushywithers, neu Ivybush – rhywbeth efo *bush* ynddo fo, beth bynnag. Wrth gwrs mi roddodd hynny fodd i fyw i'r hogia yn y bar rhyw noson. Ond roedd Plancia yn mynnu mai rhywbeth yn dechra efo 't' oedd enw'r lle. Mi gafodd yr hogia andros o hwyl pan wnaethon nhw ddeall mai '*Trespassers will be Prosecuted*' oedd enw newydd Waun Hir, yn ôl Plancia. Wedi meddwl roedd o'n llygad ei le.

Mae'n gas gen i pan fydd hi'n rhy dawal yn y bar. Mae'r noson yn llusgo. Waeth i mi eistedd yn y gegin i sgwrsio efo Mags ddim gan nad oes fawr o neb eisiau bwyd chwaith. Tywydd barbeciw mae'n rhaid. Mae'r gwres yn dweud ar Mags yn barod, ei hwyneb yn goch a'i gwallt wedi sticio i'w phen hi rhywsut – diawl o wallt ydy o 'fyd. Dach chi byth yn siŵr pa liw fydd o. Piwsgoch ydy o heddiw 'ma, efo rhimynna pinc llachar yn mynd trwyddo fo. Alla i ddim peidio â sylwi fod lliw'r gwallt yn clasho efo lliw ei hwyneb hi braidd. Er bod Mags yn gwmni iawn rhaid bod yn ofalus be dach chi'n ddweud wrthi bob amser, neu mi fydd yn newid eich geiria nes na fyddwch chi'n eu nabod nhw o gwbwl. Mi fydd yn fy holi'n dwll, ac unwaith y byddwch chi wedi gadael y gath o'r cwd, mi fydd eich geiria chi ar dudalen flaen y *Free Press* cyn pen bora – efo ôl nodyn gan Mags neu Twm, ei gŵr.

'Pixie yn iawn, ydy Alice?' mae hi'n gofyn, heb godi'i phen. Mae hi wedi plannu'i breichiau mawr mewn llond bwced o datws ac wrthi'n pilio. 'Twm welodd hi yn y garej echdoe, ac yn meddwl bod y car yn llwythog iawn. Mynd i Manchester am chydig, ia?'

'Y… y, dwn 'im,' atebaf gan gymryd arnaf stydio'r rota gwaith ar gefn y drws.

'Dach chi'n dal yn ffrindia, tydach?' ymbalfalodd.

'Yndan siŵr,' medda finna'n benderfynol na fyddwn i'n troi oddi wrth y rota. Dydy o sod ôl o bwys gen i am Mags a'i phrocio, ond dwi'n teimlo fy mocha i'n dechra llosgi. Mae hynny'n fy ngwneud i'n fwy blin, a hynny efo mi fy hun yn hytrach nag efo Mags.

'Be mae Jay yn ei wneud y dyddia yma 'ta? Ydy o'n dal i fynd ag ymwelwyr am dro ar y ceffyla 'na?'

'Ydy, weithia am wn i,' atebaf, gan geisio cadw fy llais yn ddidaro. 'Dwi'm yn gwbod be mae o'n wneud a deud y gwir wrthat ti… prin bydda i'n 'i weld o.'

Damia, damia, damia – pryd dysga i gau fy ngheg?

'Bar!' gwaedda rhywun, a rydw inna'n cael cyfle i'w heglu hi o wres y gegin.

Diolch byth, mae'r hogia wedi cyrraedd, ar eu ffordd adra, wedi bod yn torri gwair. O leiaf roeddwn i'n falch o weld dau ohonyn nhw. Ond mi wnaeth Wayne lithro i mewn ar eu hola nhw hefyd, llithro fel rhywbeth anghynnes ar waelod esgid.

'Dach chi'n iawn hogia, 'run peth ag arfar ia?'

'Diolch, Alice,' a setlo ar y fainc wrth y bar. Fyddan nhw ddim yma'n hir, hitha'n nos Fawrth a thywydd braf ar y gorwal.

'Tywydd torri gwair, Meic?' Rydw i'n gwybod sut i gychwyn sgwrs.

'Ydy, mae hi i'w gweld yn setlo – ond dyna fo, dydy pawb yn dal ddim 'di cael pen ar y cneifio.'

'Aled isho hel mynydd Graig. Bora fory, ddeudodd o dwa'?' meddai Cai wrth ymuno yn y sgwrs.

Mi fydd yna ddigon o waith i'r ddau os setlith y tywydd, felly dim ond picio i mewn yn hwyr y byddan nhw am sbel rŵan.

'Mae Llyr adra yn tydy,' medda Meic yn hamddenol. Roedd o wedi rhoi clec i'w beint cynta'n barod, nid clec hegar chwaith, dim ond tiltio'i ben yn ôl a gadael i'r cwrw du lithro'n esmwyth i lawr ei wddw. Wedyn aros i rowlio smôc yn ara deg bach, smôc dena, dena,

'Llyr?' holaf.

Peth rhyfedd na fydda fo wedi dod i mewn i 'ngweld i.

'Lle mae o'r dyddia yma dwa'?'

'Yn Lerpwl,' medda finna. 'Dwi'm wedi 'i weld o chwaith. Ers pryd mae o adra, Meic?'

'Esu dwn i'm – digwydd gweld Janet yn siop wnes i bora 'ma, a hitha'n deud 'i fod o adra am sbel.'

Dyna pryd y cofiodd Wayne nad oedd o wedi cael peint eto, a shyfflan ei draed draw at y bar. Roedd o'n amlwg wedi clywed enw Llyr yn cael ei drafod ac yn meddwl y byddai ganddo fo gyfraniad gwerthfawr i'r sgwrs.

'Iawn del. Ti'n edrych yn neis heno, Alice.' Mae o'n estyn ei bres. 'Llyr? Adra i gael rest mae o ia?'

Gwichian siarad mae Wayne. Mae o'n mynd yn debycach i lygodan fawr bob tro gwela i o. Mae ganddo fo hen gynffon fach dena seimllyd o wallt yn disgyn i lawr ei gefn… damia. Dydw i ddim yn edrych arno fo, jest troi nghefn. Fydda i ddim yn anghofio pethau'n hawdd, ac mi geith ffalsio hynny licith o.

'Wedi bod yn brysur yn Liverpool, do?'

'Jest cau hi,' dwi'n ateb dan fy ngwynt.

'Hen foi iawn ydy Llyr,' meddai Meic gan edrych arna i… 'Un da ydy o, yn torri ei gŵys ei hun, yn lle dilyn pawb fel defaid…'

'Ers pryd mae Llyr yn Lerpwl?'

Tro Cai ydy hi i holi rŵan. Holi'n ddiniwad fydd Cai bob amser. Dydy Cai ddim yn troedio'r un haen amser â phawb arall. Mae Meic yn taeru bod Cai yn defnyddio hen galendars wedi eu hailgylchu, ac nad ydy o'n deall wir i be mae angen calendr newydd bob blwyddyn.

'Ers dros ddwy flynadd rŵan, sti Cai.' Rydw i'n ateb ac yn estyn peint arall i Meic.

'Be mae o'n wneud yn Lerpwl dwa'?' hola Cai wedyn.

'Ia, be *mae* o'n wneud yn Lerpwl fasan ni i gyd yn licio gwybod,' medda Wayne, cyn ychwanegu dros y bar. 'Mae gynno fo gariad yna 'wrach?'

'Be wn i?' medda finna'n swta. 'A be fydda hynny o fusnas i ti p'run bynnag, Wayne?'

'*Wow! Touchy darlin,*' mae o'n taflu winc awgrymog ata i.

Mi faswn i'n wirioneddol wrth fy modd yn rhoi fy mys yn ei lygad o, ond roedd y bar rhyngddon ni, diolch byth.

'Gad lonydd, 'nei di,' roedd Meic yn anesmwytho.

'Titshar ydy o dwa'?' hola Cai wedyn, gan syllu'n freuddwydiol i'r lle tân, cyn ychwanegu. 'Dyna oedd Janet yn 'i wneud ers talwn, yn de Meic?'

'Ia Cai, dysgu yn ysgol dre, oedd hi.'

'Hogan smart – Janet,' medda Cai wedyn yn bendant.

'Ia, duw,' cytuna Meic wrth chwilio am fatshen ynghanol llwch ei bocedi.

'Dysgu celf mae Llyr,' medda finna wrth ail-lenwi gwydr Cai. Dwi'n gobeithio fod y drafodaeth am Llyr wedi dod i ben rŵan. Does gen i ddim awydd sôn ychwaneg amdano.

Ond mae'r llygoden fawr yn codi'i ben a gwenu, ac mae llwybyr o gwrw'n slefrian o ymyl ei geg. '*Art teacher...*'

'Ia.'

'Dyna mae *o* yn ddeud wrthat *ti,* ia del…'

'O, a be ti 'di glywad mae o'n 'i wneud 'ta, Wayne? Rydw i'n teimlo'r gwrid yn codi. 'Tyd 'laen, deud Wayne…' dwi am ei waed o rŵan, y basdad bach hyll. 'Be *mae* Llyr yn 'i wneud yn Lerpwl 'ta os wyt ti mor ffycin gwybodus…'

Rydw i'n ymwybodol bod cefn fy ngwar i'n chwys diferol a mod i'n gweiddi. Mae pawb wedi tawelu am funud, ond rŵan mae llais gwichlyd Wayne yn torri ar y tawelwch.

'Pres da i'w gael yn Liverpool… am *rent b…*'

Ond chafodd o ddim gorffen ei frawddeg wrth i law fawr galed Meic gau am ei wddw bach plorllyd o. Disgynna'r stôl yn glatsh ar y llawr llechi nes bod y sŵn yn bowndian oddi ar y nenfwd isal.

'Gwranda di'r cwdyn! Dos o 'ngolwg i'n reit sydyn cyn i mi roi coes y fainc 'ma yn dy din di…' Dydy Meic ddim yn codi'i lais o gwbwl. Mae pob dim yn digwydd yn ara deg fel mewn ffilm wedi 'i harafu. Wyneb Wayne yn crebachu, a'i lygaid o'n tyfu'n fwy ac yn fwy. Mae Cai yn codi'r stôl yn ara bach heb gynhyrfu dim.

Mae dyn Waun Hir yn dod at y bar i nôl dau hannar arall o stowt. Mae o'n edrych dros ei sbectol ar Wayne sydd yn cuddio erbyn hyn y tu ôl i un o'r stolion, wedyn mae o'n troi at Meic ac yn sythu,

'*All right lads,*' medda fo. '*No need to get excited.*'

'*Piss off,*' medda Meic, fel tasa fo'n trio cael gwarad â phry chwythu oddi ar ei frechdan.

'Dwi'n mynd, Cai. Does 'na ddim llonydd i gael peint yn y lle 'ma. Wela i di Alice.'

Dwi'n meddwl i bobol Waun Hir fynd am adra wedyn, neu eu bod nhw'n cuddio yn y toileda. Ond does yna neb ond fi a Cai ar ôl yn y bar rŵan – mae Wayne wedi sgrialu i ryw dwll i guddio.

Dwi'n mynd allan i ben y drws am funud i gael oeri a thawelu. Dydy hi ddim yn oer chwaith, ac mae'r awyr yn fwll felltigedig. Rydw i'n mynd yn ôl a thywallt fodca bach i mi fy hun, a setlo ar y stôl wrth ochor Cai.

'Gaddo hi'n braf am sbel rŵan, Cai?' holaf.

'Ydy dwi'n meddwl. Be mae'r glàs yn ddeud, Ali?'

Af y tu ôl i'r bar a chnocio wyneb y cloc tywydd. 'Fyny a'th o Cai.'

'Reit dda 'wan,' medda Cai, gan sipian ci beint yn ara deg.

'Dydd San Swithin fory, 'sti,' medda finna.

'Esu yndi 'fyd. Pa dd'wrnod fydd hi fory, Ali?'

'Dydd Merchar fory, Cai.'

'Dydd Merchar? Dydd Merchar… diwadd mis ydy dwa'?' medda fo wedyn Rydw inna'n mynd ati i orffan clirio'r gwydra.

# Yr Hen Ŵr

MAE HI'N DDYCHRYNLLYD o glòs. Wnes i ddim tân heddiw, a ddaeth Lilian ddim chwaith gan fod y dynion yn hel mynydd. Wnaethon nhw ddim cychwyn yn ddigon buan. Mae'r haul wedi codi'n gry, ac mi fydd yr hen ddefaid yna wedi mynd i swatio yn y creigia rhag y gwres. Mi gân nhw drafferth i'w cael nhw i lawr, mwn. Rydw i wedi dweud wrth Aled eu bod nhw'n hwyr yn gorffan cneifio – mi fydd eu hanner nhw'n gynrhon byw ar ffasiwn wres, ond waeth i mi heb â dweud dim.

Ddaeth yr hen gath ddim i nôl ei bwyd bora 'ma. Beryg bod y cathod bach wedi cyrraedd. Roeddwn i wedi gosod y bocs wrth ddrws y cefn, ond aeth hi ddim iddo fo chwaith. Mi a' i fyny at y corlanna i edrych wela i gip ar y dynion. Mae hi am wres mawr heddiw. Mae'r ffordd i'w gweld yn gryndod i gyd a'r tes bach tena yna'n clirio o'r gwaelodion.

'Lle dach chi'n cychwyn?' Lilian sydd yna'n chwilio amdana i.

'Mynd i fyny at y corlanna i edrych wela i gip arnyn nhw.'

'Mae hi'n rhy gynnar eto i chi weld neb, Nhad.'

'Tyrd efo fi i fyny i aros, Lil.'

Mi faswn i'n licio tasa hi'n arafu chydig weithiau ac yn aros efo fi, i mi gael sgwrs. Fedra i gael sgwrs efo neb wedi mynd – mae pawb yn rhy brysur.

'Na mae gen i ormod i'w wneud. Mi fydd y dynion

isho brecwast cyn cychwyn arni.'

'Ond ddôn nhw ddim am sbel, dyna ddeudist ti.'

Mae hi'n sbio'n od arna i wedyn, ac yn dod a gafael yn fy mraich i, ac rydan ni'n dau'n mynd yn ara deg bach i fyny at y corlanna i eistedd ac aros.

'Drycha!'

Rydw i'n sylwi'n syth bod rhywun wedi bod yma'n taclo – mae'r giât wedi'i thrwsio, cetyn newydd wedi'i osod, a'r bwlch wedi'i gau yn y clawdd lle neidiodd yr ŵyn.

'Be welwch chi, Nhad?'

'Mae'r cetyn wedi'i osod. Mi roedd angen trwsio'r corlanna ers talwm.'

Rydw i'n codi'n araf i gael edrych yn iawn ar y bwlch. Mae o wedi cael hwyl dda arni. Wedi cloi'r top efo cerrig da.

Mae Lilian yn dal i eistedd yn edrych i lawr am y cwm. Mae hi wedi teneuo, choelia i byth. Mae hi'n edrych fel hogan fach yn y ffrog wen yna, yn edrych yn fach ac eiddil fel hogan ifanc, dim ond bod ei hwyneb hi'n hen. Mi fyddwn i a Gwenni'n eistedd llawer yn fan hyn, yn sgwrsio, cyn i'r plant gyrraedd. Sgwrsio am y Graig ran amlaf, rhannu'n cynlluniau, meddwl sut medrwn i gael ffordd ffeindiach i fyny at y caeau ucha, er mwyn mynd â pheirianna yno. Ac mi gawson ni ffordd yno hefyd, unwaith y daeth yr hen beirianna mawr yna. Maen nhw'n gaea digon da fyth erbyn hyn. Dim o'r cerrig mawr yna ar ôl.

Sôn am y tŷ fydda Gwenni, be fydda angen ei wneud i gael pethau'n haws, fel codi'r lloriau cerrig oer yna a rhoi leino. Dwi'n cofio ymhen sbel wedyn, ar ôl i'r plant gyrraedd, cael y peiriant golchi iddi. A'r ddau ohonan ni'n mynd ati i'w lenwi efo pwcedi, ac aros i'r dŵr gnesu ynddo. Gwenni wedyn yn trochi'r dillad, a finna'n eu rhoi trwy'r mangl trydan ar y top. Dwi'n cofio unwaith i Gwenni olchi tedi Em, a finna'n meddwl y bydda fo'n sychu'n gynt os baswn i'n ei roi o drwy'r mangl. Em wedyn yn nadu pan welodd o'r tedi'n fflat, a darn moel ar hyd ei gefn o. Finna'n ei lapio fo mewn rhwymyn ac yn deud mai wedi cael damwain roedd y tedi a bod yn rhaid edrych ar ei ôl o'n ofalus. A Gwenni'n edrych arna i ac yn gwenu. Mi wnaethon ni'n iawn ein dau, roeddan ni'n deall ein gilydd.

'Mae Em wedi gwneud joban dda o godi'r bwlch 'na, Lilian,' medda fi, wrth eistedd.

'Beth am gael panad fach a thamaid o frechdan yn fan hyn, Nhad?' medda hitha.

Rydw inna'n mwynhau paned allan yn yr haul. Does yna ddim byd gwell na phicnic ar ddiwrnod braf.

Tra bod Lilian yn nôl panad, dwi'n clywed eu sŵn nhw'n uchel yn y creigia. Sŵn gweiddi a chyfarth – un dda ydy Meg am gyfarth. Mae angen ci fedar gyfarth ar y creigia yna i ddychryn tipyn ar y defaid sy'n swatio. Wrth graffu mi fedraf weld amlinell o rywun i fyny wrth Craig yr Ynfyd. Dim ond am eiliad, ac mae o o'r golwg eto. Fyddan nhw ddim yn hir rŵan.

Mae Lilian yn dod yn ei hôl efo paned yn y fflasg, a rydan ni'n dau'n eistedd ar y wal yn yfed te a bwyta brechdan, ac yn gwrando. Rydan ni'n craffu i edrych welwn ni'r rhaeadr wen yn disgyn dros grib y Foel. Mi fedra i glywed y brefu, ac unrhyw funud rŵan mi fyddan nhw'n dechra llifo dros yr ymyl.

'Dacw nhw, Nhad!' Lilian sy'n eu gweld nhw gynta. Ffrwd o wyn yn disgyn dros y llethra ac yn anelu am giât y mynydd. Maen nhw'n symud yn sydyn ac yn swnllyd, ac yn llithro trwodd i'r ffridd fel gronynnau mân mewn cloc tywod. Efo un llithriad arall maen nhw i mewn yn y cae uchaf, a'r giât wedi cau arnyn nhw. Maen nhw'n edrych yn drwm, efo'u gwlân yn llawn o hen friglach grug a rhedyn. Dacw nhw'r cŵn yn dawnsio dŵad, eu cynffona i fyny, a'u tafoda allan.

'Pwy sydd efo Aled?' Dim ond Aled dwi'n medru ei weld yn iawn, a Meg wrth ei gwt.

'Colin Ty'n Llechwedd a Meic a Rhys Wenallt. Mi gychwynnodd Plancia Bach efo nhw ben bora, ond mae'n debyg ei fod o wedi mynd yn ôl i lawr heibio'r Gelli, i osgoi'r creigia.'

Rhaid i Lilian fynd i wneud brecwast iddyn nhw, felly dwi'n aros am sbelan ac yn ei gwylio hi'n mynd. Peth braf ydy cael paned allan yn eistedd ar y wal ben bora fel hyn. Rhaid i mi gofio diolch iddi am ddod i eistedd efo fi am funud. Dydy hi ddim yn hastio rŵan, dim ond mynd yn ara deg a'i ffrog wen hi'n dawnsio. Mae hi'n aros i bwyso ar adwy'r ardd, fel tasa hi wedi blino, yn pwyso mlaen ac yn gwasgu'r fflasg i'w mynwas. Mae hi'n edrych 'nôl i'm cyfeiriad i, fel tasa hi'n trio gwenu, ond yn methu − wedyn mae hi'n diflannu trwy'r drws i'r tywyllwch.

Erbyn i minna ddod yn ôl i'r tŷ, roedd y gath wedi dŵad o rywle, yn mewian a rhwbio yn erbyn fy nghoesa

i. Mae ganddi gathod bach, mae'n rhaid, ar yr olwg sbrachlyd sydd arni, felly rydw i'n rhoi dros hanner y tun iddi a thipyn o fara llaeth, chwarae teg. Rydw i'n eistedd am sbel i gael fy ngwynt ata. Mae'n rhaid mod i wedi cysgu sbelan, achos rŵan mae yna rywun arall yma'n eistedd wrth y bwrdd.

'Sut ydach chi?' medda fo, ond fedra i ddim gweld dim ond siâp tywyll, oherwydd mae o rhyngddo i a'r ffenast.

'Pwy sy 'na?' Rydw i wedi dychryn braidd.

'Fi, Taid!'

Llyr ydy o, a minna'n sobor o falch o'i weld o. Meddyliwr ydy Llyr, sgolar – yr unig un yn ein teulu ni.

'Sbiwch be sy gen i i chi,' medda fo ac estyn parsel i mi. Parsel mawr fflat, a phapur llwyd wedi cau amdano.

'Agorwch o, Taid,' medda fo wedyn, ond tydy nwylo i ddim fel buon nhw. Wnaiff fy mysedd i ddim gwneud fel dwi'n gofyn. Maen nhw'n gwrthod plygu, ac unwaith y byddan nhw wedi plygu, maen nhw'n gwrthod sythu yn eu holau.

Dwi'n edrych arno fo. Mae o'n fachgen glandeg, yn syth ac yn dal, ond ar ei ddwylo fo y bydda i'n sylwi bob amser. Dwylo'i fam sydd ganddo fo. Dwylo main a bysedd hirion, bysedd chware piano. Nid fel dwylo Em.

'Ydach chi am i mi 'i agor o i chi Taid?' mae o'n gofyn.

'Diolch i ti fachgian.'

Wedi iddo gymryd y parsel a'i osod o'n wastad ar

y bwrdd, mae'n cymryd cyllell o'r drôr ac yn gwthio'i llafn hir rhwng y plygiadau. Mae'r papur llwyd yn llacio. Ffrâm sydd ganddo fo. Mae o'n troi'r ffrâm i fy wynebu, a dwi'n gweld beth sydd ynddi, wrth i'r dwylo hir afael am lun o rywbeth. Wela i ddim byd ond lliwia i ddechra – rhyw liwia tywyll braidd, ond wrth graffu mi fedra i weld beth sydd ganddo fo. Llun o Graig yr Ynfyd ydy o, a'r gamfa lle bydden ni'n croesi am y creigia i hela cis talwm.

'Un da ydy o fachgian… ti wedi cael hwyl dda ar hwn, Llyr.'

Dwi'n codi'n ara deg ac yn cymryd y llun ac yn mynd â fo drwodd i'r parlwr, a'i osod o i bwyso yn erbyn y dresal. Dwi'n ei droi o fel na fedra i weld y llun.

Mae Llyr yn sefyll wrth y drws cefn.

'Mae'r hen gath 'ma wedi cael cathod bach bora 'ma, Llyr.' Mae o'n troi i edrych arna i. 'Wyt ti'n meddwl y medri di ddod o hyd iddyn nhw i mi?'

Dwi'n gwybod yn go lew lle byddan nhw. Mae Llyr yn dod o hyd iddyn nhw'n syth yn y gwair o dan yr hen felar sy yn y shed isa. Mae o'n eu cario nhw yn ei freichiau i fyny at y tŷ, ac yn eu gosod nhw yn y bocs wrth y drws cefn, pedair ohonyn nhw'n fach a diymadferth. Dydy'r gath ddim yn licio hyn; mae hi'n mewian yn swnllyd ac yn trio'i gora i godi un yn ôl allan o'r bocs gerfydd ei gwar. Rydw inna'n cau'r drws rhag iddi fynd â nhw'n rhy bell.

Wedi i Llyr adael, dwi'n mynd i nôl sach. Dwi'n codi tair o'r cathod ac yn gadael yr un fach drilliw efo'i mam yn y bocs. Dwi'n rhoi'r tair arall yn y sach, ac yn codi carreg o'r clawdd, â'i rhoi wrth eu hymyl. Rhaid i mi wylio nad ydy'r garreg yn eu gwasgu nhw. Damia'r bysedd 'ma, fedra i yn fy myw â chlymu ceg y sach yn iawn efo'r cortyn.

'Dyna chi'r petha bach.'

Maen nhw'n mewian yn wanllyd, ac mi fedraf deimlo'u cyrff nhw'n gynnas a meddal trwy ddefnydd garw'r sach. Dwi'n croesi at y pistyll ac yn gosod y sach yn ofalus o dan y dŵr oer, ac yna'n gosod carreg arall dros enau'r sach – rhag ofn. Mae'r dŵr yn llifo dros ymyl fy llawes a dwi'n ei deimlo fo'n llifo'n oer dros fy nwylo. Dŵr oer, yn syth o galon yr hen graig galed acw. Rŵan mae'r sach yn llonydd dan bwysa'r dŵr a'r cerrig. Dwi'n aros am sbel i'r dafnau gael gwneud eu gwaith ac mi fydd y petha bach wedi blino trio byw erbyn hyn. Wedi meddwl, rydw inna wedi blino 'fyd.

'Taid! Taid!' Mae rhywun yn cydio dan fy nghesail. Dwi'n trio codi, ond mae nghoesa i'n gwrthod symud.

'Rhowch eich braich rownd fy ngwar i… dyna ni, dowch o'na…'

Aled sy 'na. Mae o'n fy helpu i godi, ac yn fy rhoi i eistedd ar y fainc wrth glawdd yr ardd. Mae'r haul ffyrnig wedi tawelu erbyn hyn, wrth iddo fo symud i lawr tuag at ei wely yn y môr.

'Be oeddach chi'n wneud?' hola Aled, ac mae o'n sylwi ar y sach yn gorwedd dan wyneb y dŵr. Yn ofalus iawn mae o'n codi'r sach ac yn gadael i'r dŵr lifo ohoni, wedyn mae o'n agor y cortyn a dyna ble mae'r tri chorff bach, oer.

Fedra i ddim edrych arnyn nhw. Dydw i ddim yn deall

pam, ond mae yna ryw hen boen dwl yng ngwaelod fy mol i, ac mae 'nghoesau i'n teimlo'n wan. Mae'r cyrff bach yno wrth fy nhraed yn sypia llonydd, ond dwi'n medru cofio teimlo'u cyrff yn gynnas trwy'r sach.

Mae Aled yn rhoi'r garreg yn ei hôl yn y clawdd ac yn codi'r cathod, wedyn mae'n mynd i chwilio am raw.

'Dwi wedi blino, sti,' medda fi wrtho fo ar ôl inni'n dau fynd i'r tŷ, 'Does yna ryw hen farw o hyd...'

'Dewch, Taid, wedi cael hen sgeg ydach chi'n syrthio wrth y pistyll fel'na.' Mae o'n mynd ati i wneud paned i mi.

Wedi yfed fy mhaned, rydw i'n mynd trwodd i'r parlwr i nôl y llun. Dof â fo a'i adael ar y bwrdd, i Aled gael ei weld o.

'Drycha be ddoth Llyr i mi,' medda fi.

Mae Aled yn edrych arno fo am sbel, a'i studio fo'n iawn. 'Mae o'n dipyn o foi ar y llunia 'ma, Taid,' medda fo o'r diwedd.

'Wyt ti'n gwybod llun o ble ydy o?' gofynnaf.

'Yndw siŵr,' medda fo'n dawel. 'Y gamfa ar waelod Craig yr Ynfyd.'

Mae o'n edrych arna i, fel tasa fo eisiau dweud rhywbeth arall. Ond mae'n rhaid ei fod wedi ailfeddwl.

'Ia,' medda finna, 'lle doist ti o hyd i Emyr.'

# Llyr

ROEDD MAM YN mynd i weithio bora 'ma, ac roeddwn i'n falch o'i gweld hi'n mynd. Rydan ni'n gwneud yn iawn efo'n gilydd am gyfnoda byr, ond ar ôl diwrnod neu ddau mae'r cecru'n dechra. Dim ond digwydd dweud wnes i mod i am bicio heibio'r Ship i edrych fedrwn i weld Alice. Dyna hi'n dechra hefru, a dweud y dylwn i fynd i weld fy nheulu fy hun cyn dechra galifantio efo 'honno' – fel y bydd Mam yn galw Alice.

Mae hi'n iawn wrth gwrs – mae Mam bob amser yn iawn. Felly am y Graig â fi, ond dim ond Anti Lilian oedd yno. Roedd Aled wedi mynd i hel mynydd, er mwyn cael gorffan cneifio. Doeddwn i ddim yn awyddus iawn i aros ar gyfer yr artaith flynyddol honno, yn enwedig pan glywais i fod Colin Ty'n Llechwedd yn rhan o'r sioe.

Yn y sied y byddan nhw'n cneifio fel arfer – sied efo'i hochra'n agored i'r tywydd, a'i chefn yn terfynu efo'r hen sgubor. Rhwng y ddau adeilad mi fydda yna ddrws wedi'i hollti'n ddau, yn agor 'nôl a blaen – yn union fel drysa salŵn mewn ffilmia cowbois. Mi fydda'r peirianna wedi eu hongian o'r distyn wrth wal y sgubor, fel bod y daliwr yn gallu dod â'r defaid allan yn syth i'r cneifiwrs. Heb fod ymhell bydda Taid yn barod efo'i ffon bitsh i farcio cefna'r defaid – fo hefyd oedd yng ngofal yr oel briwia, pan fydda ei angen.

Bydda'r gweddill wedyn yn ffendio patshyn clir o lawr

i'w hawlio fel eu tiriogaeth ar gyfer y lapio. Ac yn y pen pella, allan o'r tywydd, y bydda'r barclod yn hongian. Pan oeddan ni'n blant, Aled a finna oedd y ffagiwrs – ni fydda'n cael dringo i mewn i'r barclod i wthio'r cnu i'r corneli, a'u gwasgu nhw i lawr. Roedden ni'n dau yn siglo 'nôl a blaen a chogio bach bod yn fôr-ladron ar fwrdd ein llong. Y dyddia hynny, roedd diwrnod cneifio yn un o uchafbwyntiau'r flwyddyn – 'run fath â'r trip ysgol Sul. Ond roedd hynny cyn dyddia dechra deall.

Dwi'n cofio un diwrnod cneifio pan oedd Aled a finna tua'r pymtheg oed. Roedd Aled wedi dechra cael cneifio ambell ddafad ei hun, ac yn cael gwersi gan Meic Wenallt, a phawb yn ei ganmol. Welais i neb yn sythu cymaint. Ond chwarae teg i Aled, mae o'n grefftwr da, ac roedd o eisiau llwyddo. Nid fel fi, hel gwlân mân oedd fy swydd i, ond mi ges i fy nyrchafu i'r swydd o lapio'r cnu ymhen hir a hwyr – efo'r merchad.

Colin Ty'n Llechwedd wnaeth awgrymu'r peth i ddechra wrth gwrs. Dim ond y fo fydda wedi meddwl. Am fod Aled yn cael tro ambell waith i gneifio, mi awgrymodd Colin nad oedd hi ond yn deg i minna gael tro. Mi edrychodd arna i a rhyw hannar gwên gam ar ei hen wep hyll o. Fedrwn i ddim gwrthod, a phawb yno'n edrych arna i, felly dyma gymryd gafael yn yr *handpiece* trydan ac aros i Colin nôl dafad i mi. Mae'n debyg iddo fo ddewis y ddafad wylltaf oedd yn y gorlan – hynny a'r ffaith nad oedd gen i ddim clem sut i afael ynddi. Helpodd Dad fi i'w chael hi ar ei chefn, a thrio dweud wrtha i sut i ddal y gwellaif a chydio yn y ddafad 'run pryd.

Doedd yna ddim gobaith i mi, ac mi ddeallodd y

ddafad yn syth mai amatur oedd wrthi. Dyna'r cicio'n dechra, a'r hogia'n gweiddi, finna'n stryffaglio i drio dal fy ngafael yn ei choesa hi, nes rown i ar fy hyd ar y llawr ynghanol y pitsh a'r gwaed a'r cachu. Doedd fawr o obaith cadw fy urddas, ac mi gafodd fy malchder y gora arna i. Cofio wedyn i mi sgrialu ar fy nhraed heb edrych ar neb. Roedd y codwm yn ddigon heb sôn am iddyn nhw weld y dagrau'n cronni. Dwi'n dal i glywed Colin yn chwerthin.

Wnes i ddim aros yn y sied gneifio wedyn ac mi es i allan i eistedd ar wal y gorlan i drio tawelu fy meddwl. Daeth Dad ata i, ond wnaeth o ddim gofyn oeddwn i'n iawn. Dim ond eistedd efo fi am chydig, yn dawal bach fel bydda fo. Yna dyna fo'n cynnig ei gadach poced i mi gael sychu'n wynab, cyn rhoi ei law fawr ar fy ngwar i a gwasgu.

'Mi fyddi di'n iawn, Llyr − paid ti â chymryd dim ganddyn nhw − mi fyddi di'n rêl boi.'

Ac yn ôl â fo i dwrw'r peirianna. Wnes i ddim dweud gair wrth Mam, ac mae'n rhaid na wnaeth Dad chwaith, neu mi fydda ffýs wedi bod.

Dwi wedi meddwl llawer oedd Dad yn wirioneddol gredu y byddwn i'n iawn. Ond roeddwn i *yn* iawn yn fy ffordd fach fy hun − diolch i Alice.


Cysgu'n sownd mae Taid er pan ddois i i lawr i'r Weirglodd. Yn ei gadair mae o, a'i ên yn pwyso ar ei frest. Mae o wedi tynnu'i gap a'i osod i hongian ar un ben-glin. Er y gwres mawr y tu allan mae'r gegin yn oer a theimlaf gefn ei law. Mae'r gwythiennau i'w gweld yn las trwy'r croen tena, a'r bysedd wedi chwyddo yn y cymala, yn gam ac yn oer fel hen friga bregus. Does yna ddim llawer o Taid ar ôl rhywsut, wrth i mi edrych arno fo fel hyn. Ei groen yn llac a rhychiog, a'i geg yn hanner agored gan adael diferion bach o sglefr i redeg yn araf i lawr ei ên.

Does dim llawer o'r penteulu hwnnw i'w weld, y penteulu roedd arnon ni i gyd ei barchedig ofn. Taid fydda'n dweud, ninna'n gwneud. Ond bellach, wrth edrych ar ei wyneb o, does yna ddim ond cysgod o'r cadernid ar ôl rhywsut. Does yna ddim ond cragen frau'n eistedd yna yn y gadair o fy mlaen i, a fydd petha ddim yn hir nes bydd rhyw don arall wedi dod a'i chwalu yn erbyn y creigia.

Rydw i'n gosod y llun ar y bwrdd. Dwn i ddim pam y dois i ag o yma a dweud y gwir. Dim ond teimlo efalla y bydda Taid yn hoffi'i gael o, gan y bydda fo a Nhad yn hela'r hen greigiau yna mor amal, mae'n debyg.

Mae'n rhaid fy mod i wedi ei ddychryn o, achos mae'n neidio wrth ddeffro a chychwyn codi'n wyllt, cyn iddo fo ddeall mai fi sydd yna. Beth bynnag, rydw i'n agor y llun iddo er mwyn iddo gael ei weld o, ond does fawr o ymateb. Dydw i ddim yn meddwl iddo fo ddeall llun o ble roedd o. Fydda waeth i mi fod wedi rhoi llun o Timbactŵ iddo fo ddim. Mae o'n codi'n araf a mynd â fo i'w gadw yn y parlwr. Wêl neb mohono fo eto mae'n debyg, hyd nes bydd yn rhaid clirio'r tŷ 'ma ar ôl iddo fo fynd.

Mae'r hen gath wedi dod â chathod bach, felly rydw i'n cario'r rheiny i'r tŷ i Taid ac yn ffarwelio. Mae'n rhaid i mi ddod o hyd i Alice. Dydy hi ddim yn gweithio heddiw ac mi ddywedodd Mags fod ganddi ddiwrnod yn rhydd. Felly wrth fynd draw i'r Gilfach am dro, bydd cyfle i'w gweld. Rydw i'n rhyw lun o nabod Jay a Pixie a dwi'n dal i gofio mynd yno rhyw noson ar wahoddiad Jay i weld casgliad o'i waith. Er nad ydw i'n cofio fawr am y noson ei hun a dweud y gwir gan ein bod ni i gyd yn llanast – dwi'n credu mai dyna'r unig ffordd roedden ni'n gallu gwerthfawrogi gwaith Jay. Roedd yn rhaid i chi fod ar haen arall o fodolaeth i fedru 'gweld' unrhyw beth ynddyn nhw.

Mae'r Gelli mewn llecyn gwirioneddol fendigedig. Tyddyn bychan efo chydig o dir ar gyfer y ceffyla, a hen, hen goedlan yn cysgodi cefn y tŷ rhag y gwynt sy'n dod i lawr drwy'r hafn, rhwng Craig yr Ynfyd a'r Foel. Yma y bydda Dodo Gelli'n byw pan oeddwn i'n blentyn, ac mi fyddan ni'n dod yma efo Nain Gwenni i edrych am yr hen wraig. Tra bydda Nain a Dodo Gelli'n cael panad mi fyddwn inna ac Aled yn mynd i'r hen goedlan i chwara. Mi fyddan ni'n dau wedi hawlio coedan yr un yn geffyla – coed gyda'r canghenna wedi troi ar i lawr i greu cyfrwy naturiol. Chwara dynion drwg fyddan ni bob tro – roedd ganddon ni wn pren yr un i saethu, a cheffyl wrth gwrs i ddengid wedyn.

Mae yna lannerch ynghanol y goedlan. Dydw i ddim yn un sy'n credu mewn dim byd arallfydol fel arfar, ond mi ges i ryw deimlad od yn y llannerch y tu ôl i'r Gelli unwaith. Fel petai'r rhai oedd wedi bod yno o fy mlaen i'n dal yno, yn dal i wylio dros y lle, rhag ofn i rywun darfu ar eu llannerch nhw, rhag ofn i rywrai geisio mynd â rhywbeth oddi yno, neu anrheithio'r lle mewn rhyw ffordd. Dwi'n cofio na wnes i ddim dychryn, dim ond teimlo'n falch eu bod nhw yno'n gwarchod y lle, ond wna i ddim mynd yno yn y gwyll chwaith, rhag ofn.

Chware teg i Jay, wnaeth o ddim newid dim ar y Gelli ac os rhywbeth mae'r tŷ yn fwy cyntefig rŵan nag roedd o pan oedd Dodo'n fyw. O leia mi roedd Dodo wedi rhoi carpad dros gerrig y lloria, ac wedi rhoi Rayburn yn y gegin i dorri'r ias. Yr unig beth sydd yno yn newydd rŵan ydy'r garafán, os newydd hefyd. Mae hi'n edrych fel tasa hi yno ers Oes y Cerrig, gan bwyso yn erbyn y clawdd fel tasa hi'n dibynnu ar y gynhaliaeth i'w dal rhag chwalu. O'i blaen mae yna gwt neu *lean-to* o byst efo to *sheet sink* arno fo, ac mac'n rhaid mynd trwyddo cyn cyrraedd drws y garafán. Dydw i ddim yn siŵr a wna i fentro – mae'r *lean-to* yn edrych yn fwy bregus na'r garafán hyd yn oed.

'Helô! Oes 'na rywun i mewn?'

Dwi'n galw, ac yn mentro'n ofalus rhwng y beic a'r bagia bwyd ieir sy'n llawn o goed tân. Mae'r drws ar gau, dwi'n cnocio, ond does yna ddim atab na sŵn symudiad. O leiaf mae'n oer a thywyll braf yma o dan y to sinc. I sgwennu nodyn iddi, rhaid eistedd ar stepan y garafán am funud, ond fedra i ddim meddwl am ddim byd mwy gwreiddiol na: *Wedi galw – Llyr*.

Dwi'n gwasgu'r darn o bapur a'i luchio i mewn i un o'r bagia coed tân.

Fel rydw i'n codi i fynd, mae sŵn y glwyd yn gwichian. Gan fod yr haul mor gryf, dwi'n methu gweld dim am eiliad. Yna gwelaf hi – Alice – ei siâp yn dywyll yn erbyn yr awyr, a'i gwallt melyn yn dal ymylon yr haul fel y golau yna sydd rownd adenydd angel ar gardiau Nadolig. Mae hi'n rhoi bloedd ac yn rhuthro tuag ata i. Rydw inna'n ei dal yn dynn, dynn. Mae ei chorff hi'n boeth trwy ddefnydd ei ffrog dena, ac mae ogla'r haul yn ei gwallt hi.

'Lle ddiawl wyt ti 'di bod?' medda hi, ac mae'n pwyso'i phen yn ôl i gael golwg well arna i.

'Ti'n rhy dena!' medda hi wedyn – yn union fel y bydda Nain wedi ei ddweud ers talwm.

'Ydw i?'

'Wyt, a be ti 'di wneud i dy wallt?' Wedyn mae hi'n chwerthin, cyn ychwanegu 'pwy ddeudsoch chi oeddach chi 'fyd?'

Dwi'n ei dilyn hi i mewn i'r garafán sydd fel popty gan fod y drws wedi cau. Rydan ni'n agor pob ffenast sy'n gallu agor ac yna rydw i'n trio agor y ffenast dalcen sy'n diflannu i lawr ochor allan y garafán. Mae Alice yn chwerthin wrth fy ngweld i'n stryffaglio i drio cael gafael ynddi.

'Gad iddi – fydda i ddim angan ffenast am dipyn – nes bydd y gwres yma wedi dofi rhywfaint.'

Mae hi nôl dau gan o'r rhewgell ac yn pasio un i mi. Rydan ni'n eistedd ynghanol y gwely mawr yn pwyso'n cefna yn erbyn y talcen a'n penna allan lle dylai'r ffenast fod.

Rydan ni'n yfad yn ddistaw am funud, does dim rhaid i mi ddweud gair pan fydda i efo Alice. Mae hi'n estyn ei llaw ac yn gafael yn fy llaw i. 'Sut mae petha efo chdi, Llyr?' mae hi'n gofyn. 'Sut mae bywyd yn y ddinas fawr ddrwg?'

Dwi'n meddwl am funud cyn atab.

'Dwi'n iawn sti,' achos mi rydw i *yn* iawn. Fedra i ddim dweud wrthi y byddwn i'n well na dim ond 'yn iawn' petai hi efo fi. Waeth i mi heb â dweud hynny wrthi. Mae hi'n gwybod hynny'n barod, a dwi'n ei charu hi ormod i roi'r pwysa hwnnw arni unwaith eto.

'Dwi'n falch,' medda hi. 'Wyt ti'n dal i beintio?'

'Yndw, amball waith… dyna pam dois i 'nôl.'

'O?' Mae hi'n troi fy llaw drosodd yn ei llaw hi ac yn mwytho'r llinellau bach yna ar gledr fy llaw.

'Fan hyn dwi isho bod. Fan hyn dwi angan bod,' medda finna'n dawel.

'Wyt ti'n dod 'nôl yma, gadael Lerpwl?'

Mae hi'n dal i fwytho cledr fy llaw, a rydw inna'n teimlo'r hen bryderon yna'n cilio.

'Am sbel, falla?'

'Os wyt ti'n barod, ond rhaid i ti gofio nad ydy'r llc 'ma ddim wedi newid rhyw lawar.'

'Ond mi rwyt *ti* yma, 'yn dwyt Alice… yn angal gwarcheidiol i mi!'

'*Edrych ynÿan,*' eb yr Angel, *ac a roes i mi ddrych ysbïo amgen nag oedd gennyf i ar y mynydd. Pan ysbïais trwy hwn, gwelwn bethau mewn modd arall, eglurach nag erioed o'r blaen.*

'Gwylia di rhag i mi droi yn hunlle, a dod i fyw yn dy feddwl di fel rhyw gysgod aderyn corff…' medda hitha.

Peth od i'w ddweud. Fydda Alice byth yn dod yn gysgod ar fy meddwl i, byth. Daw sŵn o'r tu allan i'r garafán, sŵn rhywun yn trio gwthio rhwng y beic a'r coed tân ac yn methu.

'*Aw. bloody 'ell, Alice. Are you in there*?' meddai'r llais. Ond dydy Alice ddim yn symud, dim ond aros yno'n gafael yn fy llaw i.

'Dyma'r Meistr Cwsg ei hun wedi dod i chwilio amdana i,' medda hi'n ysgafn. 'Ti'n cofio Jay?'

# Aled

DIOLCH I'R DREFN, mi gawson ni ben ar y cneifio, er i'r gwres fygwth ein darfod ni. Doedd yna'r un awel yn dod drwy'r sied heddiw, dim ond gwres yr haul ar y to sinc. Roeddan ni i gyd yn diodda, ond doedd Mam ddim hanner da, ac mi fu'n rhaid iddi fynd i orwedd i'r parlwr am sbel. Mae hi wedi cael rhyw hen lychedan – peswch sy'n gwrthod clirio.

Felly mi fu raid i mi fynd i lawr i'r Weirglodd â the i Taid. Roedd hwnnw wedi bod yn hoddi'r cathod bach yn y pistyll ac wedi syrthio, a dyna ble ces i'r hen griadur ar ei gefn yn fanno. Ond mi gododd heb lawer o drafferth ac mi ddoth i'r tŷ. Wnes i ddim galw doctor na dim – doedd o ddim i'w weld yn llawer gwaeth. Os rhywbeth roedd o fel tasa'i feddwl o'n gliriach nag y buodd o ers sbel. Roedd Llyr wedi bod heibio efo llun iddo fo. Llun o'r creigia, ond roedd o wedi rhoi'r gamfa yn y llun hefyd. Duw a ŵyr pam.

Dydw i ddim yn siŵr be roedd Taid yn ei feddwl o'r llun, ond roedd o am i mi ei weld o beth bynnag, a rhywsut mi ges i'r teimlad ei fod o eisiau dweud rhywbeth, ond tawelu wnaeth o. Mi ofynnodd i mi a oeddwn i'n gwybod llun o ble'r oedd o, er bod lleoliad y llun yn amlwg. Ond nid dyna be oedd gan yr hen ddyn o gwbwl, dweud wnaeth o mai fan honno y dois i o hyd i gorff Emyr – fel taswn i wedi anghofio. Dim ond dweud hynny fel'na, yn union fel tasa fo'n sôn am y tywydd.

Roedd o'n beth od ar y diawl, achos ers misoedd rŵan mae o wedi bod fel tasa fo'n methu derbyn o gwbwl bod Em wedi marw. Wnaeth o ddim holi chwaith, dim sôn am y cneifio, na holi lle'r oedd Mam. Diolch i'r drefn am hynny.

Yn ôl yn y Graig mae Mam wedi mynd i'w gwely a dydy hi ddim angen dim byd, medda hi. Er i'r haul gilio i lawr am y môr, roedd hi'n dal yn glòs. Mae gen i flys mynd am beint – ond heb fynadd i fynd i lawr i'r Ship. Felly dwi am fynd i fyny am y ffridd i gau giât y mynydd. Mae hi'n fyd gwahanol yma heno, dim niwl i fy nrysu, felly mi a' i draw am y creigia ac i lawr am yr olchfa i dir y Gelli.

Mae'r grug yn sgleinio'n borffor yng ngola coch y machlud, a'r creigia'n dal gwres y dydd yn eu crombil. Mae yna ddigon o lus leni, rhaid i mi gofio sôn wrth Mam. Bydda hitha a Jan yn rhai da am hel llus – llond bwcad weithia. Maen nhw'n aeddfed ac yn barod.

Mae hi'n dawal i fyny am y creigia, ond bod yr hen fwncathod yn cynyddu. Mae un acw wrthi'n cylchu rŵan, ei adenydd mawr yn llonydd, llonydd. Yn amlwg mae o wedi ffendio ei ysglyfaeth ac yn ei gysgodi, yn barod i ddisgyn arno fo fel rhyw danchwa ddieflig. O leiaf ŵyr ei ysglyfaeth o ddim be fydd wedi digwydd, ac felly, mae'n ffordd braf… mae'n siŵr gen i. Yma un munud ac wedi darfod y munud nesa. Osgoi'r aros yna y bydd pobol cyn i farwolaeth, o'r diwedd, benderfynu bod yr amser wedi dod, neu pan gân nhw ddigon ar yr aros…

O ben y graig mi fedraf edrych i lawr ar yr afon, yn sgleinio'n goch ac yn gwneud ei ffordd yn ddiog i lawr am yr Aber. Ac ar i fyny wedyn, dilyn ei llwybyr am y mynydd, yn gul a thywyll. Dwi'n dilyn yr afon at y llecyn lle mae hi'n mynd o'r golwg heibio'r Graig Gam, gan wybod mai y tu ôl i'r fan honno mae'r olchfa, lle dwi'n anelu.

Dwi'n dewis y llwybyr serth sy'n dod â fi i lawr yn union uwchben yr olchfa, a dyna sut rydw i'n gweld rhywun yn y dŵr. Fedra i ddim adnabod pwy sydd yno o'r fan hyn – ond mae gen i syniad go dda. Dwi'n nesáu. Dydw i ddim yn trio bod yn dawel, ond tydw i chwaith ddim yn gwneud stŵr ac mae sŵn y dŵr yn ei rhwystro hi rhag clywed dim. Rydw i bron wrth y graig wastad cyn iddi sylweddoli mod i yno. Mae hi'n troi wrth weld fy nghysgod ar y graig lefn sy'n codi o'r dŵr, ac mae hi'n symud yn sydyn, a golwg bryderus arni. Unwaith y mae hi'n gweld mai fi sydd yno, mae ei hwyneb yn llacio ac mae hi'n gwenu.

'Be ti'n da'n stelcian o gwmpas y lle fel rhyw ysbryd rhwng y creigia?'

Mae hi yno fel duwies y dŵr, ei gwallt yn glynu wrth ei hysgwyddau noeth a'i chroen yn sgleinio'n wyn.

Dwi'n mynd at yr ymyl ac yn eistedd. Mae'r haul diog yn dal yn gynnas ar fy nghefn i, ac mae 'nhraed i'n teimlo'n boeth a chwyslyd yn y sgidia trwm. Dwi'n datod y carrai ac yn taflu'r sgidia i'r grug. Mae'r dŵr dros fy nhraed i'n oer, oer, yn rhewllyd o oer.

'Wyt ti ddim yn oer?' dwi'n gofyn.

'Na, mae'r dŵr yn iawn unwaith rwyt ti ynddo fo. Tyd yn dy flaen…'

Mae hi'n edrych arna i ac yn chwerthin yn dawel – sŵn chwerthiniad bach ysgafn fel murmur y dŵr dros y graig. Mae hi'n dod draw at y lan, ac yn aros yno o dan wydr yr wyneb, yna mae'n estyn ei braich. 'Tyd'.

Rydw i'n tynnu 'nillad ac yn neidio. I ddechrau fedra i deimlo dim ond llafna miniog rhewllyd y gwydr yn fy nharo, nes cymryd fy anadl, ond yna wrth godi i'r wyneb yn ara mae 'nghorff i'n dygymod. Mae hi'n aros wrth y lan yn fy ngwylio am funud, yna mae hi'n nofio'n araf draw tuag ata i.

Edrychaf arni, fel petai hi'n berson hollol ddiarth. Y gwallt melyn wedi tywyllu gan y dŵr, y llygaid llwydwyrdd yn treiddio, a'r wefus yna a'r wên nad yw byth ymhell. Rydw i'n edrych arni mewn ffordd na weles i hi erioed o'r blaen. Alice ydy hi, ond eto nid Alice chwaith. Symudaf tuag ati trwy'r dŵr a gafael yn ei llaw – mae hi'n oer, dwi'n codi ei llaw ac yn ei chau rhwng fy nwy law i'w chnesu. Tynnaf hi'n nes ataf, ac mae hithau'n cau ei breichiau amdanaf. Yn araf rydan ni'n symud at y graig lefn, ac yn gorwedd arni o dan wyneb y dŵr, lle mae'n dal yn gynnas. Mae hi'n gorwedd yno wrth fy ochr, y croen yn wyn, laswyn a chysgod rhychiog y tonnau bach yn creu siapiau crynedig dros ei chorff esmwyth.

Mae hi'n hardd – hardd a dilychwin fel petai'r creigia yma wedi ei chreu'r funud hon, a'i gadael yma'n greadigaeth newydd, ddi-nam. Mae hi'n mwytho 'ngwallt i wrth i'r dŵr dreiglo trwyddo, ei bysedd yn symud mor ysgafn, yn un â symudiad y dafnau dros y graig. Rydw i'n cau fy llygaid gan adael i'w gwefus gynnas daenu ei hud drosof fi. Mae ei bysedd yn dal i fwytho, gan symud yn araf dros fy nghorff... yn ôl a blaen, yn ôl a blaen, ac mae fy ngwefus yn blasu dafnau oer yr olchfa wrth ei chusanu... Mae hi'n crynu.

'Wyt ti'n oer?' dwi'n gofyn, a rydan ni'n dau'n llithro o'r dŵr i gynhesrwydd y gwair i garu.

Wedi aros yno'n gorwedd am sbel, mae hi'n swatio, ac mae awel y mynydd yn codi cryndod bach ar ei chroen. Rhoddaf fy nghrys iddi i'w wisgo dros ei ffrog dena. Mae'r gwres wedi cilio, a'n gadael yma'n fodlon am rŵan yn y grug. Dydw i ddim eisiau symud. Mae'r grug yn crafu fy ngwar ond wna i ddim symud, achos os symuda i fe fydd popeth ar ben − wedi digwydd, wedi bod − a bydd rhaid symud ymlaen at rywbeth arall Dydw i ddim eisiau gwneud hynny. Felly dwi'n cau fy mreichiau amdani, ac mae hithau'n aros yno'n llonydd, llonydd. Mae'n mynd yn hwyr, mae'r golau cynnas wedi cilio'n llwyr o'r gorwel, a'r sêr yn dechrau dod i'r golwg. Yn ara deg mae hi'n stwyrian fel cath fach foethus yn deffro'n araf, ac yn ymestyn. Rydw inna'n estyn am fy nillad, ac yn gwisgo'n sydyn. Mae'n oer.

'Rhaid inni ddod â phlanced tro nesa,' medda hi'n ysgafn, a rydw inna'n cau fy nghrys yn dynnach amdani. Wedyn rydan ni'n dod o hyd i'r llwybyr rhwng twmpathau'r grug ac yn cychwyn i lawr am y ffridd, law yn llaw gan gerdded mewn tawelwch. Dydw i ddim yn gwybod beth i'w ddweud. Er bod fy mhen i'n llawn o gwestiynau, maen nhw'n gwestiynau nad ydw i eisiau clywed yr atebion iddyn nhw eto, felly waeth i mi heb â'u gofyn.

Trown i lawr am lwybyr y Gelli unwaith yr awn ni dros y gamfa. Wedyn, rydan ni'n dod i lawr heibio cefn y tŷ a'r goedlan fach, a sylwaf yn syth bod y golau ynghynn yn y gegin, ond dydy hynny ddim fel tasa fo'n poeni dim ar Alice. Wrth i ni fynd trwy'r buarth, mae'r cŵn yn dechrau cyfarth. Mae Alice yn galw arnyn nhw, ac maen nhw'n tawelu – does yna 'run symudiad o gyfeiriad y tŷ. Yna, wrth y glwyd, mae hi'n aros yn troi ac yn rhoi cusan fach ysgafn ar fy ngwefus cyn diflannu i grombil y sied sinc. Dwi'n sefyll yno am funud, yn methu penderfynu be i wneud, cyn troi i gyfeiriad yr Hwylfa Lydan a mynd am adra.

Wrth gyrraedd golwg y tŷ, rydw i'n gwybod yn syth bod rhywbeth o'i le. Mae goleuada ymhob man – dechreuaf redag. Mae pob math o feddylia'n gwibio. Ddyliwn i fod wedi galw am ddoctor at Taid? Ella mai wedi cael strôc roedd o, ac mai dyna pam y syrthiodd o, ond na roedd o'n cerddad yn iawn ac yn siarad yn glir, ddim 'run fath â phan gafodd o'r pwl bach diwethaf yna. Ond wrth nesáu, rydw i'n sylweddoli bod y Weirglodd yn dywyll ac yn llonydd – yn y Graig mae'r cynnwrf.

Pan dwi'n cyrraedd y gegin, mae Meic yno'n eistedd, ac mae Mam yn gorwedd ar y setl. Mae hi'n dal i wisgo'r ffrog wen honno brynodd hi yn y dre. Roedd hi wedi'i gwisgo bora 'ma, ac roeddwn inna wedi dweud wrthi am beidio rhag ei baeddu.

Mae Meic yn codi wrth fy ngweld i. Dydw i ddim yn deall. Be mae Meic yn ei wneud yn eistedd yn fan'na?

'Be sy?' ond dwi'n gwybod wrth edrych ar wyneb Mam. Mae hi'n cysgu, ond mae'r boen i'w weld yn eglur yn y rhychau a'r cleisiau o dan ei llygaid.

'Be sy?' dwi'n gofyn wedyn, ac mae Meic yn symud rhyngof i a Mam.

'Paid, sh, paid â'i deffro hi,' medda fo'n dawal. 'Dwi wedi ffonio am ddoctor. Mi ddaw rhywun yn y munud...'

'Pam, i be?' Dydy petha ddim yn gwneud synnwyr. Roedd hi efo ni pnawn 'ma'n gwneud bwyd.

'Dim ond peswch oedd arni,' dwi'n sibrwd, ond dydy Meic ddim yn gallu sbio arna i. A be ddiawl mae o'n wneud yma beth bynnag? Wedyn mae o'n gwneud y peth odia – mae o'n plygu drosti ac yn rhoi ei law ar ei gwallt hi'n dyner. Fedra i ddim meddwl am ddim byd heblaw pa mor fawr ydy ei law o, a sut mae wyneb Mam yn edrych mor fach ac eiddil. Yna wrth iddo fo droi tuag at y drws rydw i'n gweld yr olwg ar ei wynab o, a dwi'n symud o'r ffordd iddo fo gael pasio. Mae o'n aros wrth y drws agored, ond dydy o ddim yn troi 'nôl.

'Edrych...' ond dwi'n gwybod na fedra fo ddim deud rhagor, ac mae o wedi mynd.

Dwi'n symud at ymyl Mam. Mae hi'n agor ei llygaid, ond dydy hi ddim yn dweud gair. 'Be sy?' dwi'n gofyn. Ond dydy hi ddim yn atab, dim ond ysgwyd ei phen, ac am yr ail waith heddiw rydw i'n gweld rhywun diarth mewn wyneb cyfarwydd.

# Lilian

MI DDOTH Y llythyr bora 'ma – mi wnes i ei guddio fo yn nrôr y dresal. Roedd Aled wedi cychwyn i hel mynydd felly doedd dim rhaid esbonio dim. Rhaid i mi fynd i gael rhyw x-ray neu rwbath felly. Ta waeth, o'r diwadd mi gaiff Aled ben ar y cneifio, rhaid i minna fynd i bilio tatws.

Mae hi'n wres dychrynllyd yn barod, a tydy hi ddim yn ddeg o'r gloch eto. Rydw i wedi gwisgo'r ffrog newydd, achos mae hi'n deneuach na dim arall sydd gen i, ac mae'r gwres yma'n bygwth fy llethu i, hyd yn oed yng nghegin oer y Graig.

Rydw i'n gallu gweld Nhad yn cychwyn am y corlanna – fedar o ddim cadw draw. Mi a' i ato fo mewn munud, ond rhaid i mi gael eistedd am sbel. Dwi'n methu'n lân â chael fy ngwynt yn y gwres yma – mae yna ryw bwys rhyfadd arna i, a dwi angan gorffwys.

Mi gawson nhw helfa dda, ac mi roedd Aled wedi ei blesio a Nhad yn rhyfeddol o dawel ei feddwl. Mi ddoth Llyr i fyny rywbryd – dwi'm yn cofio yn iawn pryd – ches i fawr o sgwrs efo fo, a doedd o ddim am aros i gael paned efo mi hyd yn oed. Roedd o eisiau mynd â rhywbeth i'w daid medda fo. Holais o ynghylch ei fam, fel y dylwn i – tydw i ddim wedi gweld Jan ers wythnosa – mae hi wedi mynd yn ddiarth sobor. Ddaw hi byth i fyny yma rŵan, ond dyna fo, mae hynny i'w ddeall mae'n debyg. Gormod o atgofion am

Em yma – er mod i'n eu hwynebu bob dydd.

Fu Jan erioed yn un am ddod i'r Graig beth bynnag. Pan briododd Janet ac Emyr, yma i'r Graig roeddan nhw i fod i ddŵad ond roedd Janet yn gwneud rhyw esgusodion o hyd. Rhy bell, tra ei bod hi'n dal i weithio, oedd y rheswm ar y dechra. Wedyn, ar ôl sbel, mi ddoth Llyr, ac mi roddodd Janet y gorau i'w gwaith. Roedden ni'n meddwl y bydda hi'n dod i fyny wedyn, ond erbyn hynny roedd y Graig yn rhy bell i bicio â Llyr i'r ysgol feithrin bob dydd. Ac felly buodd petha. Dim ond fi ac Aled arhosodd yma, ac Em yn dod i fyny bob dydd i weithio.

Fues i ddim o'ma rhyw lawer erioed. Dim ond am ryw chydig fisoedd cyn geni Aled, pan fues i'n byw efo Barry yn y fflat uwchben yr arcêd. Unwaith y cafodd Aled ei eni, mi heglodd Barry hi 'nôl i Fanceinion, ac mi ddois inna 'nôl i'r Graig. Mi wirionodd Mam ar y bychan yn syth, a dyna fo, doedd yna ddim sôn wedyn am i mi fynd i chwilio am dŷ i mi fy hun a'r babi. Mi fyddai'n helynt bob tro y byddwn i'n sôn am y peth, felly mi rois i'r gora i'r syniad. Ac yn raddol mi rois i'r gora hefyd i fynd oddi yma i nunlle, dim ond i'r dre weithia, neu amball dro i lawr i'r Ship.

Ches i ddim cam. Mi ges i ac Aled bopeth oeddan ni ei angen, ac mi fuodd Emyr yn fwy o dad iddo nac o ewyrth erioed. Yn ei ddysgu fo, ei ddandwn o, a'i gynnal o. Mi fydda'r tri, Nhad, Em ac Aled yn mynd i hela, efo'i gilydd, gan dreulio oria ar y creigia yn crwydro. Dwi'n cofio balchder Aled pan saethodd o'i lwynog cyntaf – ac Em yn ei ganmol, ac Aled yn sythu. Dim ond plesio Em oedd nod Aled, plesio Em gynta,

Nhad wedyn a fo'i hun wedyn – gan gadw rhyw un llygad arna i o bellter.

Nhw a'u gynna – does yna 'run ar ôl yn y tŷ yma erbyn hyn, a ddaw 'run gwn yma eto tra bydda i byw. Mi ges i wared ar y tarianna colomennod clai i gyd hefyd – bob un. Dydw i ddim eisiau dim o 'nghwmpas fydd yn fy atgoffa i o'r peth.

Ddaw Janet ddim yma. Mae cydwybod yn beth diawledig o anodd byw efo fo. Dyna fo. Dwn i ddim pam fod yn rhaid i minna fynd dros 'run hen betha yn fy mhen o hyd chwaith, deud yr un peth, cofio'r un petha o hyd – methu symud yn fy mlaen rydw i.

Mae'r dynion wedi cyrraedd, rhaid i mi fynd i wneud rhywbeth. Dwi'n gwybod bod gen i rywbeth angan ei wneud ond fedra i ddim cofio beth. Ar y gwres 'ma mae'r bai. Mae o'n cau amdana i. Mae Aled yn estyn y mygia, ac yn llenwi'r tebot, rydw inna'n sefyll wrth y bwrdd. Mae Meic yma. Be mae Meic yn ei wneud yma? Dwi wir eisiau dweud wrtho fo mod i'n edifar, ond fedra i ddim dweud rŵan yn y gwres yma.

Mae eu lleisiau nhw'n dŵad ata i o bell. Mae rhywun yn gofyn i mi a ydw i'n iawn. Meic sydd yna? Yr unig beth rydw i'n edifar amdano ydy i mi frifo Meic. Pam y gwnes i frifo Meic? Dim rŵan – dim rŵan rydw i'n ei frifo fo. Dwi wedi gwneud hynny ers cyn geni Aled. Rhaid imi drio estyn bwyd iddyn nhw. Aled sydd yna'n gofyn ydw i'n iawn. Mi faswn i'n iawn petai'r gwres yma'n llacio. Rydw i'n rhoi popeth ar y bwrdd, salad heddiw a thatws newydd a ham. Dwi'n gwybod y basa Nhad yn dweud y drefn – cig oen sydd i fod, a thatws a moron. Ond fedra i ddim wynebu gwres y popty. Dim pwdin reis chwaith, a dyna fo.

Rydw i'n eu gadael nhw yno wrth y bwrdd yn bwyta, ac yn trio mynd i fyny i 'ngwely. Be fydda Nhad yn ei ddweud petai o'n gwybod mod i'n gadael y dynion i ffendio drostyn eu hunain ar ddiwrnod cneifio?

Mae'n cymryd oes i mi gyrraedd y gwely, ond mae'r cynfasa gwynion yn oer braf ar fy nghroen... Gwyn, cynfasa gwynion yn y gwres 'run fath â diwrnod yr angladd. Mae hi'n boeth ac mae'r dynion yn eu crysa gwynion, a'u cotia duon trwm. Maen nhw'n gollwng yr arch i'r pridd coch, yn rhoi Em i orwedd ynddo, ac mae'r bwncathod yn hewian. Na, nid bwncathod sydd yna ond cynfasa gwynion yn sownd ar ganghenna'r coed, uwch y bedd yn clecian. Clec gwn. Na, cynfasa gwynion ydyn nhw'n clecian yn y gwynt. Mae Meic yno yn ei grys gwyn a'i ddwylo fo'n estyn am fy llaw i, gan afael ynof i fel ers talwm. Finna yn fy ffrog ora, ac mae 'moch i'n boeth yn erbyn y crys gwyn, glân.

'Dwi'n gwybod mod i wedi dy frifo di...' dwi'n trio'i ddweud, ond mae Meic yn pellhau, mae o'n diflannu rhwng y cynfasa gwynion sy'n hongian oddi ar y coed a does yna ddim byd yno rŵan dim ond hewian y bwncathod uwch y bedd.

# Alice

MI GES I freuddwyd od neithiwr. Roeddwn i'n ôl adref, yn Nhŷ'n Llechwedd, yn blentyn. Roedd Colin, fy mrawd, yn gwneud panad i bawb ac mi roedd Lilian yno'n eistedd yn siarad efo Mam. Wedyn mi ddoth Dad i mewn a deud rhywbeth wrth Anti Lilian. Wedyn mi aeth Anti Lilian i grio a rhedag at y drws ac mi roedd Em yno y tu ôl iddi, efo gwn. Ar ôl iddyn nhw fynd dyma Dad a Mam a Colin yn eistedd wrth y bwrdd yn chwerthin ac yn yfad te – a doeddan nhw ddim fel tasan nhw'n gallu 'ngweld i o gwbwl. Diawl o freuddwyd od. Mi ddeffrais i'n chwys diferol achos mod i wedi bod yn gweiddi arnyn nhw, '*drychwch, dwi yma hefyd… drychwch arna i.*'

Does gen i ddim awydd mynd i 'ngwaith heddiw. Mae'r gwres yn taro to'r garafán, er bod yna awel fach braf yn siglo'r llenni, lle mae'r ffenast wedi disgyn. Dwi'n ymestyn yn ddiog wrth glywed sŵn cerbyd trwm yn cyrraedd y buarth, ac mae'r cŵn yn mynd yn wallgo. Rydw i'n trio anwybyddu'r sŵn trwy gladdu 'mhen o dan y glustog, ond mae cyfarthiad yr hen gi bach sgoti yna'n cario trwy bob dim. Damia fo. Yn y diwedd, rydw i'n codi 'mhen ac yn gwrando. Mae'r lleisia'n gyfarwydd, felly mae fy meddwl i'n agor bocsys yn wyllt yn fy ymennydd, ac o'r diwadd mae'r bocs cywir yn cael ei agor, a rydw i'n cofio – pobol Waun Hir ydyn nhw, yn eu Discovery mawr, sgleiniog, du, ac maen nhw'n sŵn i gyd.

Dwi'n gwasgu i'r stafell molchi fach yng nghornel y garafán. Mae yno gawod fechan wedi ei gosod, dwi'n tynnu'r cortyn ac mae'r diferion prinnaf o ddŵr oer yn disgyn i drio fy neffro. Damia eto. *Rhaid* i mi gael cawod, felly rydw i'n lluchio crys Aled yn ôl amdanaf ac yn cychwyn croesi'r buarth i'r tŷ. Yn sydyn rydw i'n difaru gwisgo crys Aled. Ddylwn i ddim ei wisgo. Mae wyneb Llyr yn mynnu dod i fy meddwl, a tydy o ddim yn hapus – mae o'n edrych arna i fel taswn i wedi ei fradychu o rywsut. Mae hynny'n wirion. Be rydw i wedi ei wneud? Mae o'n troi i ffwrdd ond rydw i'n gwybod bod y dagrau'n agos, yn union fel bydda fo'n trio cadw'r dagrau rhag dangos pan oeddan ni'n blant, a rhywun wedi bod yn ei bryfocio fo. Af yn ôl i'r garafán a thynnu'r crys a gwisgo hen grys-T yn ei le.

Pwyso ar ochor y Discovery ac yn sgwrsio efo dyn y Waun Hir mae Jay.

'*Can I use the shower, Jay?*' galwais arno fo. Mae o'n troi oddi wrth y Discovery, ac yn nodio arna i.

''*Course you can, gorgeous,*' medda fo, a rydw inna'n chwythu sws yn ôl.

Mae dynas Waun Hir yn edrych yn ddigon surbwch arna i, ond tydy'r gŵr ddim yn sbio – mae o'n rhy brysur yn trio stopio Pws, y mwngral, rhag piso dros olwyn ei Discovery fflash o.

Dydw i'n cael fawr gwell hwyl ar gawod y tŷ. Mae'n rhaid bod y gwres a'r sychdwr yn dechrau dweud ar y ffynnon, er tydy hi ddim wedi bod yn sych yn hir. Naill ai hynny neu mae gwartheg y Graig wedi gwneud rhywbeth i'r beipen. Mi wneith esgus iawn i mi fynd i fyny yno ar ôl gwaith. Ar ôl molchi a gwisgo'n sydyn, allan â fi i'r haul. Erbyn hyn mae pobol Waun Hir a Jay yn y Cae Dan Tŷ, a chyfrwy ar gefn Taran.

Wrth i mi nôl fy meic o'r sied rydw i'n clywed y gŵr yn dweud rhywbeth am *'fine little pony, for you darling'*. Taswn i ddim ond yn gallu gwneud swynion, mi anfonwn i bry chwythu yno fel y byddai *'darling'* yn camu i'r cyfrwy.

Wedi i mi neidio ar gyfrwy'r beic gollyngaf fy hun i lawr Hwylfa Lydan, a'r gwynt yn sychu 'ngwallt i. Rydw i'n dod oddi ar y beic wrth giât y fynwant, achos mae'r allt yn serth a dydy'r brêcs ddim yn wych iawn. Mae hi'n fora bendigedig arall, a'r ceiliogod rhedyn yn rhygnu yn y cloddia. Gafaelaf yn nhop bysedd y cŵn a'u hysgwyd i gael lle'r gwenyn, wedyn rhaid tynnu un o'r utgyrn bach piws a'i glecian o ar gledr fy llaw. Rhyfadd sut mae petha bach yn plesio, pan fydda i mewn hwylia da.

Dwi'n meddwl am neithiwr ac yn rhyfeddu sut digwyddodd pethau mor sydyn. Wrth gwrs mod i wedi sylwi ar Aled cyn heddiw. Mae pob merch wedi sylwi ar Aled Graig, ond neb yn meiddio mentro'n rhy agos. Mi fuo fo'n canlyn â rhyw hogan o ffwrdd am sbelan, rhywun ddoth draw efo'r carafannau i'r Aber, ond wnaeth hynny ddim para, pan sylweddolodd honno mai yn y Graig y bydda'n rhaid iddi fod, achos fydda yna ddim symud ar Aled. A beth amdana i? Be ydw i wedi ei wneud rŵan – llanast? Be sy'n mynd trwy feddwl Aled bora 'ma tybed? Mae yna ryw gryndod bach bodlon yn fy ngherdded wrth gofio'i fysedd yn cau botymau'r crys yna dros fy ffrog neithiwr, a'i fysedd yn cyffwrdd fy nghroen.

Rhaid i mi symud, neu mi fydda i'n hwyr i 'ngwaith. Wrth i mi ail godi'r beic sylwaf ar rywun yn y fynwant. Wrth sythu, rydw i'n medru gweld mai Janet, mam Llyr, sydd yno. Mi faswn i wedi mynd yn dawel, ond gan ei bod hi wedi 'ngweld i, mae'n rhaid i mi aros.

Daw at y ffordd a lluchio'r hen floda gwyw sydd ganddi yn ei llaw i'r bin wrth y giât.

'Sut ydach chi?' dwi'n holi, a dyna i gyd.

'Dwi'n iawn, a sut wyt ti?' medda hitha 'run mor gwrtais.

'Mae hi'n fora braf.' Rydw i'n trio 'ngora i gadw fy llais yn ysgafn.

'Ydy, gwych. Gobeithio y cawn ni dipyn ohono fo, yntê?' medda hitha.

Rydw i'n troi ac yn cydio yn handlen y beic, ond cyn i mi gael symud teimlaf ei llaw ar fy mraich.

'Alice.'

'Ia?' Rhaid i mi droi yn ôl i'w hwynebu hi ac rydw i'n gwybod beth ddaw nesa.

'Gad lonydd iddo fo.'

'Gadal llonydd i bwy, dw'ch?' Cheith hi ddim hyn yn hawdd chwaith, y bitsh.

'Llyr, siŵr, ti'n gwybod yn iawn... paid â chwarae o gwmpas efo fo,' medda hi wedyn.

Mae hynny'n fy ngwylltio'n fwy byth. Nid 'chwarae o gwmpas' efo Llyr ydw i – wnes i erioed 'chwarae o gwmpas' efo Llyr, beth bynnag mae hi'n ci feddwl wrth hynny. Llyr sy'n dod ata i, achos pan oedd o'n byw yma, cyn mynd am Lerpwl, doedd ganddo fo nunlla arall i fynd, neb arall i droi ato fo. Yr hulpan wirion – ŵyr hi ddim byd am yr hunllefa yr aeth Llyr trwyddyn nhw.

'Tydw i ddim wedi gweld Llyr ers dwn i ddim pryd,' medda finna'n dawel gan drio ailafael yn y beic.

'Paid â malu awyr – dwi'n gwybod ei fod o wedi bod efo ti yn y garafán ddoe. Mi ddeudodd o wrtha i ei hun,' medda hi wedyn. 'Mae'n rhaid iddo fo fynd yn ôl i Lerpwl, ti'n gwybod hynny. Paid â rhoi syniada dwl yn 'i ben o.'

'Pam… ?' Reit mi weindia i hon i'r pen fel weindio watsh. 'Pam bod yn rhaid iddo fo fynd yn 'i ôl i Lerpwl os ydy o'n barod i ddod yn 'i ôl adra? Mae yna ddigon o le iddo fo yn y garafán efo fi.'

A'r tro yma rydw i'n gafael yn y beic, ac yn neidio ar ei gefn o, cyn ei heglu hi i lawr yr allt. Dim ond hannar ffordd i lawr dwi'n cofio am y brêcs, wedyn dwi'n dechra gweddïo.


Mae bar y Ship yn dywyll ac yn oer. Goleuadau'r *fruit machine* ydy'r unig symudiad yno.

'Iw hw,' galwaf trwy'r drws i'r gegin, a daw Mags trwodd.

'Tisho panad?' medda hi, a mynd yn ei hôl i wneud panad i mi. Wedyn, eistedda efo fi wrth y bar, a ninna'n yfad ein panad o goffi trwy laeth, yn ewyn i gyd.

'Glywist ti am Lilian Graig, do?' medda hi gan sychu mwstásh gwyn y llaeth oddi ar ei gwefus. ''Di mynd i mewn neithiwr – ambiwlans.'

'Pryd?'

'Neithiwr.'

'Ia, ond pryd neithiwr?' medda finna yn trio cadw fy

llais mor ddigynnwrf â phosib.

'O, mi roedd hi'n go hwyr, sti. Mi welodd Twm ola glas yn pasio ar i fyny. Digwydd codi i'r lle chwech... wedi hannar nos, beth bynnag.'

'Be sy arni?'

'Dydy petha ddim yn edrych yn dda... meddan nhw.'

'Esu... dwn i ddim... ond...'

'Ond be? Wyt ti 'di 'i gweld hi'n ddiweddar?'

'Naddo,' atebaf yn rhy bendant braidd.

'Na, dydw inna ddim 'di 'i gweld hi ers misoedd...' medda Mags wedyn, a syllu'n hiraethus i waelod ei mỳg coffi gwag, '... ond mi welodd Twm gip arni yn y car bora o'r blaen, yn edrych yn ddiawledig, medda fo.'

Dyna pryd y daeth Plancia a Cai i mewn.

'Glywsoch chi rywbeth o hanas Lilian bora 'ma?' hola Mags wedyn.

'Na, dim ond bod Aled yn dal draw yno,' medda Plancia. 'Mi ffoniodd o fi bora 'ma, i ofyn i mi fynd i fyny i'r Weirglodd i weld oedd yr hen Iori yn iawn.'

'Be, mi ffoniodd o chi o'r hosbital?'

'Wel do... poeni am ei daid, sti.'

'Be ddudodd o oedd ar Lilian 'ta?'

'Wel,' medda Plancia'n ara, 'ddeudodd o fawr a deud y gwir, dim ond ei bod hi'n cysgu ac yn esmwyth... ynte...'

'Diawl o beth,' tro Cai oedd hi i borthi rŵan, a syllu'n ddigalon i'w beint. 'Oes 'na jans am frechdan gaws, Mags?'

'Ia... diawledig. Tisho nionyn?' Trodd Mags i fynd am y gegin, ond doedd hi ddim yn barod i adael y stori chwaith. 'Meic ffendiodd hi, ia...?'

Mae'r cwestiwn yn cael ei anelu fel saeth at Plancia, ond dydy hwnnw ddim yn cymryd arno ei fod o wedi clywed. Dydy Mags ddim am roi'r gora i'r holi eto.

'Meic ffoniodd am y doctor, glywish i?'

Wnaeth Plancia ddim ateb, dim ond nodio, a dal ati i yfad.

'Lle'r oedd Aled felly...?'

'Allan... dwn i ddim.' Rydw i'n gallu teimlo Plancia druan yn dechra anesmwytho efo'r holl gwestiynu.

'Wel, doedd o ddim yn fan hyn beth bynnag – dim ond fi a Colin oedd yn fan hyn, heblaw am bobol ddiarth,' ategodd Cai. 'Paid â rhoi nionyn yn fy mrechdan i Mags, codi gwynt uffernol.'

'Ydy, dydy... dw inna'n cael diffyg traul ar ôl nionyn 'fyd sti,' medda Plancia.

Mae Mags yn troi am y gegin yn gwybod nad oes pwrpas procio mwy. Dydy'r ddau yma ddim am ddweud rhagor, os oes ganddyn nhw ragor i'w ddweud.

Fe brysurodd petha wedyn – pobol ddiarth ar eu gwylia, ac angen cinio. Dwi wedi bod wrthi'n cario bwyd allan i'r ardd trwy'r pnawn, a Mags wrthi nes bod y chwys yn tasgu ar y chips. Chafodd hi ddim cyfle wedyn i holi neb, a ches inna fawr o amser chwaith i hel meddylia. Roedd pawb wedi gadael erbyn pedwar, a rydw inna wedi clirio a gosod petha'n barod ar gyfer min nos. Dydw i ddim yn mynd drwodd i'r gegin, dim ond gweiddi ar Mags trwy'r drws mod i'n gadael.

Dydw i ddim eisiau mynd yn ôl i'r Gelli, er fy mod i'n boeth a chwyslyd ar ôl bod yn gweithio. Does gen i ddim mynadd dal pen rheswm efo Jay, ac mae arna i angan fy mhobol fy hun rhywsut. Mi a' i adra am dro – dydw i ddim wedi bod adra yn Nhy'n Llechwedd ers sbel. Doedden nhw ddim yn hapus iawn mod i wedi symud i'r garafán, roedden nhw'n methu deall i be roeddwn i'n mynd i gampio yn fan honno pan oedd gen i gartra moethus i fyw ynddo yn Nhy'n Llechwedd. Angan llonydd roeddwn i wrth gwrs, angan llonydd rhag culni Colin a checru Nhad a Mam.

Yn yr ardd yn hel mafon cochion mae Mam, felly mi af i'r tŷ i wneud panad. Mae'r gegin yn braf ac yn oer. Rydw i'n busnesu trwy'r papura ar ymyl y dresal rhag ofn bod yna lythyr yno i mi. Dyna pryd y gwnes i sylwi ar y llun – nid ei fod o'n newydd – roedd o wedi bod yno erioed. Llun o Mam ac Anti Lilian, wedi'i dynnu ar y prom pan oeddan nhw'n ferchad ifanc. Y ddwy yn eu sgertia cwta, a'u gwalltia'n hir. Roeddan nhw'n dlws, yn rhyfeddol o dlws, yno'n plygu mlaen i chwerthin ar y tynnwr lluniau. Roedd y ddwy'n cydio fraich ym mraich, yn amlwg yn mwynhau bywyd. Edrychaf arno am funud cyn ei roi yn ôl ar y silff yn ofalus.

Wedi gwneud panad, af allan at Mam. Rydan ni'n dwy'n eistedd ar y fainc wedyn yn mwytho'n cwpana, a finna'n bwyta mafon o'r jwg, nes i Mam fy stopio fi.

'Paid!' medda hi'n groes. 'Dwi wedi treulio amsar yn hel y rheina. Gei di fyta dipyn o'r rhai sy'n dal ar y llwyn…'

Ches i ddim maddeuant eto felly.

'Glywsoch chi fod Anti Lilian yn yr ysbyty?' gofynnaf.

'Do, roedd Colin wedi bod i lawr yn siop bora 'ma,' meddai'n dawel. Mae hi'n edrych fel petai hi bron â chrio. Rydw i eisiau mynd a rhoi fy mraich amdani – ond tydan ni ddim yn gwneud petha felly – Mam a fi.

'Mae rhai pobol yn 'i chael hi, Alice, cnoc ar ôl cnoc...' medda hi wedyn a chodi'n sydyn. 'Tyrd, dos i nôl jwg i ti gael fy helpu fi i hel dipyn yn rhagor.'

'Meic gafodd hyd iddi neithiwr...' medda finna. Fy nhro i oedd hi i brocio rŵan.

'Ia...' mae hi'n canolbwyntio ar yr hel.

'Roedd hi'n hwyr yn ôl Mags...' medda fi wedyn.

'Be ŵyr honno?' Mae hi'n ymestyn i gael gafael ar sypyn o fafon oedd wedi plygu o dan y pwysa.

'Hen drwyn ydy Mags... isho gwybod busnas pawb.'

Awn ein dwy i hel mewn distawrwydd wedyn, dim ond ambell ebwch wrth i'r drain gwyllt gael gafael ar y croen. Yna, ar ôl sbel, mae Mam yn stopio, a sythu.

'Rydw i wedi bod yn rhy hwyr eleni eto. Mae gymint o'r mafon cochion yma wedi darfod yn y gwres,' medda hi'n flin. 'Dim ond un camgymeriad sy'n rhaid i ti wneud, Alice,' medda hi'n ffyrnig, 'ac mi fydd yn rhaid i ti fyw efo hwnnw am weddill dy fywyd.'

Mae hi'n cymryd ei hances o'i llawes ac yn sychu'i thrwyn yn wyllt.

'Roedd hi mor dlws sti, Lil fach...' a dyna ble mae

Mam uwchben y llwyn mafon a'r dagrau'n disgyn.
Dagrau'n disgyn, mor wahanol i'r ddwy ferch ifanc yn
llawn chwerthin yn y llun.

# Yr Hen Ŵr

UN DA YDY Plancia Bach. Roedd o i fyny yma ben bora, cyn i mi godi. Dod i wneud brecwast i mi, medda fo, gan fod Lilian wedi picio i'r hosbitol. Dwn i ddim sut roedd o'n gwybod peth felly, a dwn i ddim i be roedd Lilian angan mynd i'r hosbitol mor fora chwaith. Ond p'run bynnag, mi nath ŵy wedi i ferwi i mi, un cythgiam o dda oedd o 'fyd, ac mi rois inna hannar dwsin o wya iddo fynta i fynd adra.

Wedyn mi ddoth Llyr a'i fam i fyny. Am funud mi rown i'n meddwl ei bod hi'n ben-blwydd arna i, nes i mi gofio mai ar ddydd Nadolig mae hwnnw, ac mi fydda i'n bedwar ugain a thri, 'Dolig nesa. Pedwar ugain a dau, medda Llyr − ond fi sy'n gwybod faint ydy'n oed i, a dyna fo.

Dydw i ddim wedi gweld Janet ers hydoedd, ac mae hitha'n heneiddio fel pob un ohonan ni. Mi fuo hi'n hogan smart, a does ryfadd i Emyr wirioni arni. Er un digon anodd gwneud efo hi weles i hi erioed. Mae'n debyg eu bod nhw ill dau wedi deall ei gilydd ryw dro, am a wn i.

'Sut ydach chi, Janet?' dwi'n gofyn yn ddigon clên. Rhaid i mi gofio bod yr hogyn yma.

Mae hi wedi dod â thorth a chig efo hi, ac mae hi'n mynd trwodd i'r gegin, a dwi'n clywed sŵn platia.

Wedyn mae Llyr yn dod â'i gadair at fy ymyl i ac yn dweud bod Lilian yn yr hosbitol.

'Dwi'n gwybod sti, machgian i,' medda finna. 'Plancia ddeudodd bora 'ma. Dwn i ddim lle mae Aled chwaith.'

'Mae Aled efo Anti Lilian,' medda Llyr wedyn. 'Dydy hi ddim yn dda chi, Taid.'

'I be oedd Aled isho mynd i'r hosbitol?' medda finna. Does bosib nad ydy *o'n* sâl hefyd.

'Wedi mynd efo Anti Lilian wnaeth o, Taid, achos tydy hi ddim hannar da,' meddai Llyr wedyn.

Mae wyneb Llyr yn welw braidd, a rhyw hen ymyl goch i'w lygaid o. Dydw i ddim yn meddwl bod Lerpwl o fawr les i neb. Adra yma mae ei le fo. Hogyn cry fel Llyr. Rhaid imi ddeud wrtho fo am ddod adra.

'Dwyt ti ddim yn edrych yn dda, sti Llyr,' medda finna. 'Rhaid i ti ddod adra. Hen ddinas fel'na, mac o'n lle afiach i fyw.'

'Taid, mi ffoniodd Aled ers dim llawar i ddeud bod yn rhaid i Lilian gael llawdriniaeth... rhyw hen dyfiant ne' rwbath... Ydach chi'n dallt?'

Mae o wedi gafael yn dynn yn fy llaw i rŵan, ac yn edrych i fyw fy llygaid. Dwi'n nodio. Wrth gwrs mod i'n deall.

'Mi fydd hi'n rêl boi wedyn, sti,' medda finna. Mae o'n gwasgu fy llaw ddrwg i ac mae'r bawd yn brifo. Dwi'n trio tynnu fy llaw yn ôl. Hen air hyll ydy tyfiant.

Yna, mae Llyr yn codi ac yn mynd i'r gegin at ei fam. Dwi'n eu clywed nhw'n siarad. Dwi'n clywed yn iawn, er mod i bron â bod yn bedwar ugain a thri.

'Waeth i ti heb,' medda hi.

'Mae'n iawn iddo fo gael gwybod,' medda Llyr.

'I be? Wnei di ddim ond 'i ffwndro fo'n waeth, gad lonydd iddo fo.'

Daw Janet â brechdan gig i mi ar blât bach. A phaned o de gwanllyd. Mae'r frechdan wedi'i thorri'n dena, dena, rhag ofn i mi dagu debyg. Hen ddyn ffwndrus fel fi – does a wnelo bod yn ffwndrus ddim byd â 'ngallu i i gnoi. A tydw i ddim mor ffwndrus fel na fedra i gofio amball beth yn iawn. Mae hi wedi rhoi siwgwr yn y te a'i droi o i mi hefyd. Dwi'n diolch iddi, ac mae hi'n gwenu arna i.

'Mi fydd Lilian yn iawn ar ôl iddi gael 'i chefn ati,' medda finna. 'Mae'r hen wres yma'n deud arnon ni i gyd.'

Mi fydd yn rhaid i mi gynnal yr hogia trwy hyn eto decini.

Wedyn dwi'n cofio am y llun. Mae 'nghoesa fi'n wayw i gyd heddiw, felly rydw i'n gofyn i Llyr fynd i'w nôl o i'r parlwr.

'Ydy dy fam wedi'i weld o, Llyr?' dwi'n gofyn, ond mae o'n gwrthod ei nôl.

'Geith hi ei weld o rywbryd eto, Taid,' medda fo.

Tasa 'nghoesa i'n iawn mi fynnwn ei bod hi'n cael ei weld o. Llun o ble buodd Emyr ei gŵr hi farw.

Wedyn mae hi'n gofyn a faswn i'n dod i lawr i'r pentra atyn nhw i aros am chydig, nes daw Lilian adre. Ond i be wna i hynny? Rydw i'n gwybod mai rhyw gynnig wysg ei thin mae hi – dydy hi ddim eisiau rhyw hen ddyn fel fi o gwmpas y lle, i'w hatgoffa hi.

'Na!' dwi'n deud yn bendant. 'Dydy hi fawr o les

i rywun yn fy oed i i newid gwely chi...' medda fi
wedyn. 'A phrun bynnag mi fydda'n rhaid i mi basio
giât y fynwant i ddod i lawr atoch chi. Mae yna beryg
dychrynllyd i mi wneud hynny yn fy oed a f'amsar.'

Mae Llyr yn chwerthin, ond dydy hi ddim yn dweud
gair – dim ond edrych arna i fel taswn i wedi'i cholli
hi'n llwyr. Ond mi fedra i weld ei bod hi'n falch mod
i'n gwrthod.

'Mi ddaw Plancia i fyny ata i heno,' medda fi wrthi,
fel nad oes rhaid iddi boeni yn fy nghylch i.

Ac ar hynny mae hi'n casglu'r llestri, ac yn mynd â
nhw i'w golchi. Wedyn maen nhw'n mynd, a 'ngadael
i efo fy meddylia.

# Llyr

RYDW I WEDI penderfynu. Fedra i ddim mynd yn ôl i Lerpwl rŵan. Fedra i ddim gadael Aled a Taid ynghanol hyn. Rhaid i mi wynebu petha yn lle rhedag o hyd.

Eistedd yn yr ardd yn darllen papur mae Mam. Mae hi'n noson braf arall, a'r ardd yn werth ei gweld. Gan fod potelaid o Chardonnay gan Mam wrth ei hymyl, dw inna'n nôl gwydr, ac yn ymuno â hi i eistedd. Gosoda ei phapur i lawr, a throi i edrych arna i gan wenu.

Dwi'n edrych arni am funud – mae hi'n ddynes hardd, mae'n ddigon hawdd gweld hynny. Yn wraig osgeiddig, a'i llygaid tywyll, a'i gwallt du perffaith. Ond does ganddi mo'r cynhesrwydd yna sydd yn perthyn i Lilian ac a oedd gan Nain Gwenni. Rydw i'n cofio meddwl ei fod o'n beth od ers talwm mai at Lilian y byddwn i'n troi wedi i mi syrthio, ac nid at Mam.

Pan own i'n hogyn bach ac yn mynd i'r Graig i aros, Nain fydda'n rhoi mwytha i mi. Nain ac wedyn Lilian. Lilian oedd yn cadw'n rhan i o hyd, yn mynnu bod Aled yn rhannu, bod Aled yn rhoi'r tro cynta i mi mewn gêm, mynnu bod Aled yn edrych ar fy ôl i yn yr ysgol. Diolch am Aled. Er nad oedd o ddim llawer yn hŷn na mi, roedd Aled yn debol, a fydda neb yn pigo arno fo. Felly Aled gafodd y cyfrifoldeb o edrych ar ôl rhyw hen niwsans bach oedd wrth ei gwt o bob munud. Dim ond unwaith dwi'n cofio Aled yn troi arna i, a hynny

88

pan ddechreuais i gwyno nad oeddwn i'n medru rhedag mor gyflym â fo, a fynta angan dal yr hogia mawr a bod yn eu cwmni. Dwi'n i gofio fo'n gweiddi arna i i fynd i chwarae tŷ bach efo'r merchad, a dyna wnes i. Mynd i chwarae tŷ bach, efo Elliw, Linda ac Alice wrth gwrs – fy angal gwarcheidiol i. Mi fyddan ni'n gwneud cacen fwd, a'i thrimio hi efo eisin melyn blodau'r eithin, neu eisin gwyn blodau'r drain, neu gacen Dolig efo aeron coch arni. A finna'n cael y drefn gan Mam am boitsho fy nillad.

Mae'r gwin yn oer, ac yn sur.

'Mam?' Mae hi wedi ailgodi ei phapur. 'Mam, dydw i ddim am fynd yn ôl,' mentraf awgrymu wrthi. Tydi hi ddim yn ymateb am funud, dim ond dal i ddarllen. Wedyn mae hi'n plygu'r papur yn ara, a'i osod o ar y bwrdd.

'Dwi'n meddwl y dylet ti fynd,' medda hi'n dawel. 'Beth sydd yna i ti yn fan hyn?'

'Chi, a Taid,' meddwn inna, '... a rŵan bod Anti Lilian yn yr ysbyty, mi fydd Aled angen...'

Mae hi'n edrych arna i a gwenu.

'Llyr bach, paid â bod yn wirion. Be fedri di wneud yn y Graig?'

'Mi fedra i helpu efo Taid,' ceisiaf wedyn.

'Rydw i yma i helpu efo Taid, does dim rhaid i ti aros i wneud hynny. Yn Lerpwl mae dy waith di, Llyr.'

Codaf, a fedra i ddim dadla efo hi. Does neb erioed, am wn i, wedi medru dadlau na ffraeo efo Mam.

'Dwi'n mynd am dro.'

'Llyr!' Mae yna rywbeth yn ei llais hi'n fy stopio.

'Be?'

'Gwranda. Lle rwyt ti'n mynd?'

Mae hi wedi codi rŵan, ac mi fedra i glywed y pryder yn ei llais.

'Lle'r ei di… ?' gofynna wedyn.

'Am dro… dwi angan amser i feddwl.'

'Paid â mynd ati hi… at Alice. Rhaid i ti…'

Ond roeddwn i wedi gadael cyn iddi orffen ei brawddeg.

Cerddaf ar hyd y ffordd am dipyn cyn croesi i lawr hyd bennau'r clogwyni. Mae yna amball un o'r bobol ddieithr yn dal yno ar lan y môr, ond mae'r gwynt wedi codi heno, gan godi'r tywod yn gylchoedd ar hyd y traeth. Cymeraf y llwybyr bach igam ogam i lawr hyd y llethr i ganol y llwyni eithin ac ogla'r blodau yn dal yn yr awyr, er bod y petalau wedi dechrau gwywo yn y gwres. Mae'r llwybyr yn sych a llychlyd, ac yn gul yma ac acw gyda gwreiddiau'r eithin yn cau amdano. O'r diwedd cyrhaeddaf y giât mochyn ar waelod y llwybyr, a dyma fi ynghanol y creigia duon a'r gwymon yn cydio ynddyn nhw'n ddu a llithrig. Mae yna amball fwced a rhaw wedi eu gadael ers i'r plant fod yn chwarae yno yn ystod y dydd, a rhyw hen gania oel a chyrts neilon yma ac acw, yn wastraff hyll. Draw o dan y clogwyn mae olion barbeciw, a chaniau Fosters gwag wedi eu gadael yno'n barod am y llanw mawr nesaf.

Cerddaf ymlaen nes cyrraedd y traeth agored ac ehangder y swnd. Mae'r llanw ymhell allan yn y bae, ond gallaf glywed sŵn y tonnau'n bygwth yn y pellter. Roedd rhyw ddau gariad wedi crafu eu henwau ar

ddafnau'r tywod aur, a chalon fawr yn eu hamgylchynu.
Braf arnyn nhw'n gallu datgan eu cariad i'r byd mawr heb
boeni, er na fyddai eu henwau hwythau chwaith ddim yn
goresgyn llyfiad y llanw. Câi'r cwbwl ei lanhau'n llwyr
erbyn y bora. Tybed beth fyddai hanes y ddau gariad?

Anelaf am y twyni, a chymryd ras i geisio cyrraedd
y brig heb stopio. Mae'r tywod yn cau am fy fferau, ac
yn achosi i mi lithro yn fy ôl pob gafael. Tynnaf fy hun
i'r top wrth afael yn yr hesg, ac yno o fy mlaen mae'r
eglwys. Rhedaf i lawr ochor arall y twyni, allan o olwg
y môr. Cerddaf rownd at flaen yr eglwys fach, ac agor
cliced y glwyd yn dawel. Mae'r tywod wedi hanner
cuddio'r cerrig llwydion o boptu'r llwybyr. Rydw i'n
aros i geisio darllen rhai o'r cerrig ond mae gwyntoedd
y canrifoedd wedi rhygnu'r llythrennau'n ddim. Mae'r
ffenestri wedi eu gorchuddio â rhwydi dur i sicrhau na
fyddai'r fandaliaid na'r gwynt yn difrodi'r gwydr brau.
Camaf tuag at y drws, a thrio'r gliced. Rhaid i mi roi
hergwd iddo, ac mae'n agor. Mae'n rhaid bod rhywun
yn ei gau a'i agor yn ddyddiol felly.

Plygaf fy mhen wrth gamu i lawr i dywyllwch oer
yr ystafell. Mae'r meinciau wedi eu gosod yn rhesi yn
wynebu'r allor fach, ac ar honno mae yna gostrel bridd
fechan a'i llond o flodau gwyllt. Teimla'r awyr yn oer ac
yn llaith er gwaetha'r tywydd poeth. Rydw i'n eistedd ar
un o'r meinciau, a phwyso fy moch yn erbyn carreg yn
y wal. Daw golau porffor i mewn drwy un o'r ffenestri
uchaf, gan wneud siapiau rhyfeddol ar fwa'r to. Caeaf
fy llygaid, a theimlaf fy meddwl yn llithro ac yn cael ei
hudo i greu byd o liwiau a siapiau braf.

Dwn i ddim am ba hyd y bues i yno, ond mae rhywun

yn fy ysgwyd yn ysgafn. Hen wraig sydd yno, ac mae hi'n edrych yn ffeind arna i.

'*It's time for me to lock the church now…*' medda hi. '*I'm sorry, have you got somewhere you can go?*' Mae'n rhaid fy mod i wedi neidio, ac edrych yn hurt arni.

'Ia… yes,' atebaf. Mae hi'n gwenu arna i.

'*The church will be open again tomorrow. If you need to come and have a quiet moment to contemplate,*' medda hi wedyn.

Ennyd dawel. Rydw i'n cael ennyd i feddwl o hyd – ond tydyn nhw byth yn dawel iawn. Bydd syniadau ac amheuon yn gwibio trwy fy meddyliau.

Rydw i'n codi ac yn diolch iddi.

Cerddaf i fyny tua'r pentra, gan basio'r tai, a hen dyddynnod bach gwyn – cartrefi sgotwyr yn y dyddiau a fu, mae'n debyg. Mae yna ogla barbeciw yn y gwynt, a sŵn lleisa'n dod o'r gerddi yn y cefn. Sŵn chwerthin a miri – sŵn mwynhau. Sgwn i sut fywydau sydd gan y rheina y tu ôl i'r wal? Oes arnyn nhw angen ennyd dawel? Dydy'r sŵn sydd i'w glywed ddim yn awgrymu hynny, beth bynnag, ond mae'n debyg y bydd pethau'n wahanol yn y bora. Neu o leiaf yn wahanol erbyn y dychwelan nhw yn ôl i'w bywydau prysur dros y ffin. Ond does yna fawr ddim yn newid, waeth ble rydach chi. Mi fydd y rheina y tu ôl i'r wal yn mynd yn ôl adra, ac yn meddwl pa mor braf oedd bywyd yn eu tyddyn bach gwyn wrth ymyl y môr. Mi ddôn nhw'n ôl yma wedyn gan chwilio am eu hafan – chwilio am y bodlonrwydd tawel. Ond erbyn y dôn nhw yn ôl i chwilio amdano fo, mi fydd y llanw wedi bod ac wedi cario chwanag o froc môr gan ei adael yn llanast ar y traeth.

Mae'r tŷ yn dawel. Dydy car Mam ddim yna. Rydw i'n mynd i'n stafell i nôl fy llyfr sgetsho, a rhyw fân betha. Mae'r pentra wedi llonyddu, a dim ond ambell ola i'w weld yma ac acw. Erbyn i mi gyrraedd y Gelli mae'r wlad i gyd yn dawel, dawel. Ac yna wrth i mi agor y glwyd mae'r cŵn yn dechra arni. Maen nhw'n cyfarth yn wallgo am rai munudau ond does neb yn dod i'r ffenast – mae pob man yn dywyll. Rydw i'n trio camu rhwng bagiau'r coed tân, heb faglu, ac yn ymbalfalu yn y tywyllwch i ddod o hyd i fwlyn drws y garafán. Wrth ei droi rydw i'n galw ei henw. Mae'r drws yn agor, dwi'n camu i mewn.

'Alice…'

Ond does yna neb yn ateb. Rydw i'n gorwedd ar y gwely mawr gwag ac yn tynnu'r cynfasa drosta i rhag yr awel sy'n dod i mewn trwy'r twll le bu'r ffenast.

# Aled

ROEDD YN HWYR arna i'n cyrraedd adre a phob man yn dywyll ac yn dawel. Nhw ddywedodd wrtha i y bydda'n well i mi fynd adra – nad oedd yna ddim y gallwn ei wneud wrth eistedd yno'n aros. Roedd hi'n gyffyrddus meddan nhw. Hen ffordd wirion o ddweud eu bod nhw wedi rhoi rhywbeth iddi fel nad ydy hi'n gorfod bod yn effro i sylweddoli beth sy'n digwydd ac nad ydy hi'n dioddef unrhyw boen. Felly, ydy mae hi'n gyffyrddus, mae'n debyg.

Dwi'n gwneud panad ac yn eistedd wrth y bwrdd. Mae'r lle'n union fel y gadewais i o ddoe. Y llestri'n dal yn y sinc, a bwyd wedi sychu ar y bwrdd. Rydw i'n llenwi'r sinc, ond mae'r dŵr yn oer. Roedd Mam wedi diffodd y stof oherwydd y gwres, mae'n rhaid, sy'n esbonio pam fod y dŵr yn oer. Mae'r saim oddi ar y platia'n aros ar wyneb y dŵr yn glapia... fel tyfiant hyll. Mae'r cyfog yn codi. Dwi'n rhuthro allan ac yn pwyso ar wal yr ardd... rydw i'n chwydu ac yn chwydu nes bod fy nghorff i'n chwys diferol. Wedi sychu'r chwys, y glafoer a'r dagrau, rhaid mynd i fyny i 'ngwely.

Gorweddaf yno, ond ddaw cwsg ddim. Rydw i'n teimlo ofn yn crynhoi. Pan fydda i'n teimlo fel hyn rydw i'n gwybod beth ddaw nesa. Fydd o byth ymhell. Y siâp du yna sy'n hofran ac na fydd byth ymhell iawn oddi wrtha i. Dwi'n gwasgu fy llygaid i drio'i rwystro fo, yna'n gwasgu fy mhen ac yn cau fy nyrnau yn erbyn fy nghlustiau. Ond y tu mewn i 'mhen i mae'r sŵn. Y glec.

Rydw i yno uwchben Craig yr Ynfyd. Mae Em wedi mynd i lawr o 'mlaen i. Dydan ni ddim wedi gweld cysgod 'run llwynog. Does yna ddim trywydd heno, mae'r daeargi'n dawel. Mae Em yn dawel – yn dawelach nag arfar. Mae'r niwl yn cau am y creigia, mae hi'n rhy llonydd. Does yna ddim awel. Dim ond glaw mân yn cau am bob dim. Glaw ac ogla'r pridd. Clywaf sŵn rhywun yn dod i lawr trwy'r creigia tuag ata i. Meic sydd yno, yn dod o gyfeiriad y Graig, a golwg wyllt arno fo.

'Lle mae Em?' mae o'n gofyn.

'Wedi mynd yn ei flaen i lawr,' medda finna.

'Ers pryd?'

Mae Meic yn cychwyn am y sgri.

'Ers pryd, Aled?' mae o'n gweiddi dros ei ysgwydd.

Fedra i ddim meddwl ers pryd yr aeth Em oddi wrtha i, ond rydw i'n deall bod yn rhaid i mi frysio. Rhaid i mi agor y gwn a thynnu'r catris, a'u rhoi nhw yn ôl yn y belt. Fel y dysgodd Em a Taid fi.

*Agor y gwn Aled* – dyna fyddai Em yn ei ddweud, *agor y gwn, a thyn y catris… bob amsar, dallt?*

Mi fydda inna'n gwneud bob amsar, fel y dysgodd Em fi.

Rydw i'n cyrraedd lle mae Meic ar y sgri, ac yn clywed clec. Clec sy'n atsain oddi ar y creigia yn ôl a blaen yn ôl a blaen. Wedyn, dim byd, dim ond sŵn sgrialu'r adar, a thawelwch.

Mae Meic yn dechrau rhedag.

Dwi'n galw ar Emyr trwy'r glaw…

'Gest ti rwbath, Em?'

Ond rydw i'n gwybod cyn gofyn. Mae fy llais inna'n dod yn ôl ata i. *Gest ti rwbath… rwbath… rwbath.* Ond dim ymateb.

Dwi'n dechra rhedag rŵan, rhedag a'r grug yn cydio yn fy nghoesa i. Mae'r daeargi'n cyfarth ac yn bygwth fy maglu i yn ei gynnwrf. Gollyngaf y gwn a rhedag. Mae'r sgri'n wlyb ac yn llithrig ac yn symud o dan fy nhraed, ac mae 'mreichiau i'n chwifio'n wyllt. Rydw i'n sgrialu i lawr i gyfeiriad y gamfa ac yn sgrechian…

'Agor y gwn, Em… agor y gwn…' Gwthiaf heibio i Meic.

Rydw i wedi cyrraedd y giât, a'r gamfa. Gallaf ogleuo'r pridd o hyd. Y tu ôl i'r giât mi fedraf weld ôl troed. Fedra i ddim symud. Rydw i'n gwybod pan groesa i'r gamfa…

'Na!' dwi'n gweiddi. 'Agor y gwn, Em…'

Rydw i yno uwch ei ben o. Yno, yn y pridd ac yn gafael ynddo fo. Yn ei ysgwyd o, ac mae yna ryw wlybaniaeth cynnas yn treiddio trwy 'nillad i, ac ar fy nwylo. Dwi'n gwaeddi arno fo. Dwi'n erfyn…

'Agor y ffycin gwn.'

Ond dydy Em ddim yn ateb. Mae'r gwn yno wrth ei ymyl, heb ei agor. Mae Meic wrth fy ymyl, mae o'n trio 'nhynnu i ar fy nhraed.

'Emyr!' Mae'n llais i'n sgrechian yn y tywyllwch. 'Emyr… agor y gwn… agor y ffycin gwn!'

Mae Meic yn fy llusgo oddi yno, ac mae nwylo'n wlyb a chynnas.

'Paid...' medda fo. 'Paid Aled.'

Rydw i'n codi ac yn syllu ar y corff yn y pridd. Does yna ddim wyneb − dim ond tywyllwch a gwaed.

Mae rhywun yn curo ar y drws, ac yn galw fy enw i. Mae'r golau'n llifo trwy'r llenni − mae'n rhaid ei bod yn hwyr y bora. Chwiliaf am fy watsh, a stryffaglio i wisgo'n jîns a chrys, a hitha ymhell wedi wyth. Mae'r llais yn dal i alw... felly rydw i'n rhuthro i lawr yn droednoeth i agor y drws.

'Aled,' medda hi.

Rydw i'n edrych yn hurt arni, ei hwyneb hi'n llwyd a'r colur sydd fel arfer yn berffaith yn creu cysgodion rhyfedd o dan ei llygaid.

'Be sy, Janet?' dwi'n gofyn ac yn agor y drws iddi gael dod i mewn.

'Ydach chi'n iawn? Be sy, ydy Llyr yn iawn?'

Mae hi'n edrych o'i chwmpas yn wyllt.

'Ydy o yma efo ti, Aled?' mae hi'n gofyn.

'Nac ydy siŵr. Pam, be sydd wedi digwydd?'

Rydw i'n trio ei chael i eistedd, ac i gymryd pwyll. Ond mae hi'n methu eistedd, mae hi'n aflonydd i gyd.

'Ella ei fod o efo Taid?' Dwi'n trio.

'Na, rydw i wedi bod yn y Weirglodd.'

'Oedd Taid wedi codi?'

Rydw i'n cofio am Taid ynghanol hyn i gyd. Rhaid i mi alw heibio.

'Oedd, mae o'n iawn, Aled. Mae Plancia yno efo fo.'

Wrth gychwyn am y drws yn wyllt, mae hi'n stopio fel 'tai hi'n cofio. 'Sut mae dy fam?'

'Dydw i ddim wedi ffonio'r sbyty eto.'

'Mae'n ddrwg gen i, Aled, wyt ti'n mynd draw?'

Mae hi'n gofyn am ei bod yn teimlo'n euog, nid am ei bod hi eisiau gwybod.

'Mae hi'n cael y driniaeth bora 'ma... wedyn.' I be rydw i'n dweud hyn wrthi? Mae ganddi fwy o ddiddordeb yn Llyr a'i helynt.

'Dyna ti, wyt ti am i mi ddod efo ti?'

Ond rydw i'n gwybod nad ydy hi ddim eisiau dod efo fi.

'Na... os gwela i Llyr mi ddeuda i eich bod chi'n chwilio amdano fo.'

'Na, weli di mohono fo. Mae o efo *hi* yn y garafán yna, yr ast fach goman.'

Wedyn rydw i'n ei gwylio hi'n camu i'r car ac yn rhuo i lawr y ffordd lychlyd, nes i'r llwch godi'n gwmwl mawr gwyn, budur.

Be mae hi'n feddwl? Be mae Llyr yn ei wneud mewn carafán? Carafán ymhle? Yna rydw i'n deall. Wrth gwrs, y garafán. Rydw i'n meddwl am y ddau yno yn y garafán. Llyr ac Alice. Alice a'i chroen llyfn, a'r wên fach yna'n chwarae ar ei gwefus.

Yr eiliad honno rydw i'n ei gasáu o – yr hogyn bach eiddil yna. Hwnnw y byddwn i'n gorfod ei gynnal a'i ddandwn bob munud.

'Cadw lygad ar Llyr 'yn g'nei Aled... ?' Fedra i glywed Mam yn gofyn.

Pam? Pam y dylwn i? Pwy gadwodd lygad arna i erioed?

Rŵan be? Ydy o wedi penderfynu mai Alice mae o eisiau erbyn hyn? Ar ôl blynyddoedd o fethu gwybod be roedd o eisiau, neu pwy. Rŵan, mwya sydyn, mae o wedi penderfynu, ydy o? Ac os ydy o wedi penderfynu – wel dyna fo 'ta, dyna geith o. Yn union fel mae o wedi cael popeth erioed yn union fel roedd o eisiau. Doedd o ddim am ddod i ffarmio. Roedd o'n ormod o gadi ffan i afael mewn dafad, felly fuo rhaid iddo fo ddim gwneud, yn naddo. Roedd o eisiau tynnu llunia – felly dyna fo. I ffwrdd aeth o i Lerpwl i dynnu llunia. A rŵan mae o eisiau Alice – ac mae o'n meddwl ei fod yn mynd i gael ei ffordd ei hun yn fan honno hefyd.

Fedra i ddim teimlo dim byd ond rhyw gasineb uffernol. Dwi'n gwisgo'n sgidia'n sydyn, ac yn estyn goriada'r car, ac yn mynd allan. Mae buarth y Gelli'n dawel. Does neb wedi codi, dim ond y cŵn lloerig 'na'n cadw sŵn. Dwi'n agor y glwyd ac yn mynd i gyfeiriad y garafán. Mae pobman yn llonydd. Rydw i'n gwasgu trwy'r sacha a'r nialwch ac yn agor y drws ac yn camu i mewn. Mae hi'n dywyll yno, ond yn raddol mae'n llygaid i'n dygymod. Dwi'n edrych ar y gwely, ac mae Llyr yno'n cysgu. Mae o'n ymestyn, ac yn agor ei lygaid yn raddol. Pan mae o'n fy ngweld i mae o'n codi ar un benelin ac yn sbio efo'i lygada bach arna i.

'Aled?' medda fo, ond dwi'n camu tuag ato fo ac yn cythru am ei wddw fo.

'Mi daga i chdi'r ffycar…' dwi'n gweiddi. 'Lle mae hi…?'

Rydw i'n ei ysgwyd o, nes bod ei ben o'n taro yn erbyn ochor y ffenast, ysgwyd ac ysgwyd.

Wedyn dwi'n ei ollwng... be ddiawl dwi'n wneud?

'Be?' mae o'n tagu. 'Alice?...' medda fo'n ddryslyd.

Mae o'n ysgwyd ei ben.

'Tydy hi ddim yma.'

'Lle mae hi ta?' Dwi'n sgrechian eto, ond mae o'n edrych yn od arna i.

'Dydi hi ddim... efo fi, Aled,' medda fo'n dawel. 'Fydd hi byth efo fi... fel'na...'

Fedra i ddim sbio arno fo. Dim ond clywad llais Mam yn dweud, 'cadw un llygad arno fo i mi, Aled'.

Rydw i'n mynd yn ôl am y car ac wedyn i lawr i dŷ Janet. Mae hi yno yn y tŷ. Pan mae hi'n agor y drws, mae hi fel 'tai hi'n gwybod mai fi sydd yno.

'Mae o'n iawn, mae Llyr yn iawn, jest dod i ddeud wrthach chi.'

Dydw i ddim eisiau mynd i mewn, ond mae hi'n agor y drws yn lletach ac yn symud i'r naill ochor i mi gael mynd heibio iddi hi. Af i mewn i'r gegin. Anamal y bydda i na neb o'r Graig yn dod i lawr i'r tŷ. Tŷ Janet ydy o, a thŷ Janet oedd o. Doedd Em ddim yn perthyn go iawn yn y fan hyn ynghanol y celfi ffansi. Mae hi'n daclus yma – dim llestri budron yn y sinc.

'Lle mae o?' Mae hi'n gofyn.

'Yn y Gelli, yn y garafán, fel deudsoch chi.'

Eistedda wedyn gan dynnu ei bysedd trwy ei gwallt. Rydw i'n gadael llonydd iddi am funud cyn ychwanegu, 'doedd Alice ddim efo fo.'

Mae hi'n codi i roi'r tegall ymlaen. Wedyn mae hi'n mynd trwodd i'r stydi, ac ar ôl sbel, daw hi yn ôl. Yn ei llaw mae yna amlen, ac mae hi'n estyn yr amlen i mi. Amlen frown ydy hi wedi ei hagor eisoes, ac arni mae ei henw hi, 'Janet'. Rydw i'n adnabod yr ysgrifen ac yn ysgwyd fy mhen – dydw i ddim eisiau ei hagor hi.

'Na,' rydw i'n ei rhoi yn ôl ar y bwrdd.

'Plis, Aled...' Mae hi'n llithro'r amlen yn ôl tuag ata i. 'Wedyn efalla y gwnei di ddeall,' ychwanegodd.

Rydw i'n cydio ynddi ac yn tynnu'r ddalen allan. Dechreuaf ddarllen, ond am funud fedra i weld dim byd ond dalen wag a'r corff wrth y gamfa, a'r tywyllwch lle bu'r wyneb.

# Lilian

MAE POB DIM mor lân yma. Yn lân a dilychwin. Mi faswn i'n hoffi petai pob dim yn gallu bod yn lân fel yna yn fy meddwl i. Teimladau, bywydau glân heb ôl briwia drostyn nhw ymhob man. Cynfasa gwyn, glân.

Mae rhywun yn cyffwrdd yn fy ysgwydd, ac yn gofyn rhywbeth. Nyrs sy 'na. Dydw i ddim yn siŵr be mae hi'n ei ofyn – mae hi'n edrych arna i'n disgwyl ateb, ond fedra i mo'i hateb hi.

Rydw i'n cofio… fedrwn i ddim ateb honno chwaith.

Emyr aeth â fi. Deud ein bod ni'n mynd i Wrecsam i siopa, a gadael Aled efo Mam. Ond nid i Wrecsam yr aethon ni. Roedd yn rhaid i mi wneud yn siŵr, gofyn i Barry… oedd o am ddod yn ôl? Cerdded y stryd yn chwilio am y rhif, 22 South Terrace… Mae hi'n stryd hir, hir, a'r haul heb fedru cyrraedd un ochor iddi. Does yna ddim giât fach daclus ar rif 22, dim bloda, dim ond concrit. Rhaid i mi fod yn ofalus nad ydw i'n rhoi fy nhroed ar y cracia. Cyrhaeddaf y drws, rhif 22, a does yna ddim cloch, dim ond pen llew wedi rhydu. Rydw i'n ei godi ac yn gadael iddo ddisgyn ar bren moel y drws. Mae'r glec yn atsain trwy'r tŷ… Oes yna rywun yno? Does yna ddim llenni ar y ffenast… dim ond cyrtan net felyn wedi braenu. Rydw i'n aros, ac yn aros, ac yna clywaf sŵn traed yn dod o grombil y tŷ, y drws yn agor ac mae merch ifanc yn sefyll yno. Mae hi'n edrych arna i ac yn codi'i haeliau,

'*Yes?*'

Fedra i ddim gofyn dim iddi. Clywaf sŵn babi'n crio draw yng nghrombil rhif 22, ac mae yna lais dyn yn gweiddi,

'*Who is it Clare?*' Rydw i'n adnabod y llais wrth gwrs.

'*Dunno.*'

Dyna fo – *dunno*. Ond mi rydw i wedi cael fy ateb. Mae Em yn mynd â fi yn ôl i'r Graig at Aled.

Mae'r nyrs yn gwenu rŵan ac yn gofyn i mi eto... ond fedra i ddim ateb. Mae hi'n troi i ffwrdd oddi wrtha i'n union fel y gwnaeth y ferch honno o flaen drws rhif 22 ers talwm – dim ond codi ei hysgwyddau a throi a chau'r drws yn fy wyneb.

'Ei di â fi'n ôl i'r Graig?'

'Pan fyddi di'n well.'

Meic sydd yna rŵan, a dydw i ddim yn y car ond yma ynghanol y glendid gwyn rhyfedd. Mae Meic yma, yn eistedd wrth ochor y gwely a dwi'n gwenu arno fo. Mae ynta'n lân i gyd, ond yn ddiarth.

Rydan ni'n dygymod, ni'n dau. Mi ddo i adra eto ac mi ddaw Meic yn ei ôl ata i ac Aled, fel y dyla petha fod. Rydw i wedi aros yn hir.

'Wyt ti isho rhwbath?' mae o'n gofyn ac yn codi.

Fedra i ddweud dim, ddaw fy llais i ddim. Rydw i'n estyn fy llaw ac mae o'n gafael ynddi. Llaw fawr a'r croen yn arw. Dwylo cryfion, yn gallu codi a thrin pwysau heb drafferth yn y byd, ond pan ddaw'r pwysau arall hwnnw, dydy dwylo mawr cryf yn dda i ddim wedyn.

Emyr a Meic, y ddau ffrind, y ddau lanc a'r haul yn eu hwynebau ar y prom yn y dre ar bnawn Sadwrn. Fydda yna 'run o lancia'r dre yn meiddio dod yn agos at y rhain. Fydda ganddyn nhw ddim gobaith yn erbyn grym eu dyrnau cryfion. A finna, dyma fi, does yna fawr ohona i. Un eiddil fues i erioed, ond fi roddodd y pwysau mwyaf ar y ddau. Fi fynnodd ddweud wrth Emyr beth roedd Janet yn ei wneud. Fi osododd y baich yna ar ei gefn o fel na fedra fo ddim dal i gerdded yn syth – fedrwch chi ddim sythu a chadw'ch pen yn uchel efo baich fel yna ar eich ysgwyddau. Ond roeddwn i'n meddwl fy mod i'n gwneud yn iawn, yn dweud wrtho fo. Roeddwn i'n meddwl y dylai o gael gwybod.

A finna hefyd frifodd Meic.

Rydw i'n cofio darnau o'r noson y bu farw Em yn berffaith glir. Maen nhw fel rhyw luniau llonydd yn sownd yn fy nghof, yn ffilm ddieflig sy'n chwarae'r un hen olygfa drosodd a throsodd. Cofio manylion petha, petha amherthnasol hollol, fel y llun o'r ardd honno ar y calendar y tu ôl i Em wrth iddo fo wisgo'i gôt. Cofio meddwl bod yn rhaid i Aled dorri'i wallt. Pethau dwl, gwirion, ond maen nhw yno yn rhan o'r noson honno. Roedd hi'n llaith annifyr, a'r glaw yn cau am y cwm yn gynfasau llwyd – glaw mân, glaw mynd i bobman. Roedd Em ac Aled yn mynnu mynd i hela, Em yn estyn ei wn o'r gist a gwisgo belt y cetris amdano. Mi deimles i rywbeth yr eiliad y gwisgodd o'r belt a chau'r gôt oel drosto, rhag i'r cetris dampio. Mi es i deimlo'n anesmwyth. Fedrwn i ddim dweud gair wrth Em. Efallai mai fy nychymyg i oedd yn rhemp. Fedrwn i ddim dweud wrth Aled chwaith achos mi fydda'n rhaid i mi fod wedi dweud y cwbwl wrtho fo. Roedd Aled yn rhy ifanc a fedrwn i ddim bod yn siŵr sut y bydda fo'n trin Llyr wedyn. Felly ffonio Meic wnes i. Wyddwn i ddim be arall i'w wneud. Rhoi chwanag o bwysau ar Meic.

Mae o'n ista yna yn y gadair blastig yn gafael yn fy llaw i.

'Dos â fi adra Meic, plis.' Ddylwn i ddim bod yn fan hyn yn gorwedd. Maen nhw fy angen i yn y Graig. Ond mae gen i boen, a dydw i ddim yn siŵr lle mae o erbyn hyn.

'Ei di â fi adra, Meic?'

Wneith o ddim sbio arna i rŵan, ac mae o'n codi.

'Tria gysgu dipyn...' Mae o'n gollwng fy llaw i, ac yn tynnu rhywbeth o boced ei grys. Sbrigyn bach o rug gwyn ydy o.

'Dyna ti,' medda fo a'i roi o ar y glustog wrth fy ymyl.

'Mi ges i o wrth hel mynydd y diwrnod o'r blaen.' Roedd o'n sefyll yno'n chwithig i gyd ac roeddwn i'n gwybod ei fod o eisiau mynd. 'Mi a' i 'ta.'

Gwyliaf ci gefn o'n diflannu heibio i gornel y drws. Rydw i'n gwybod na ddaw o ddim eto.

# Alice

Rydw i wedi mwynhau bod adra. A chwarae teg, mae Mam wedi bod yn hawdd iawn gwneud efo hi – mi wnaeth frecwast i mi a gofyn oeddwn i am fynd efo hi i i'r dre i siopa. Roedd hyd yn oed Colin yn glên. Ac mi ges i gawod gynnas braf neithiwr a bora 'ma. Y fath foethusrwydd!

Efalla y do i'n ôl am sbel, nes y caf i ddigon o bres i chwilio am le bach i mi fy hun. Rhaid i mi drio meddwl be i'w wneud efo 'mywyd. Mi ddylwn i drio gwneud rhywbeth heblaw gweithio yn y Ship, mae'n debyg. Efalla mai mynd efo Llyr i Lerpwl fydda ora i mi. Chwilio am joban, neu mynd i'r coleg i wneud rhywbeth. Duw a ŵyr be chwaith. Gradd mewn breuddwydio fydda'n braf.

Mae Mam wedi trio ffonio'r Graig ond wedi methu cael ateb. Mae'n rhaid bod Aled yn dal draw yn yr ysbyty. Dydw i ddim yn siŵr be i'w wneud. Does gen i ddim awydd mynd yn ôl i'r garafán ond mae'n debyg y bydd yn rhaid i mi fynd i nôl peth o fy nillad. Mae Colin yn cynnig fy nanfon i gan ei fod o angen mynd i nôl peiriant cneifio o'r Graig. Rydw i'n derbyn y cynnig yn ddiolchgar.

Does yna ddim golwg o neb yn y Gelli, ond mae car Pixie yn ôl yn y buarth. Rydw i'n falch. Mi fedraf ddweud yn syth bod rhywun wedi bod i mewn yn y garafán. Fydda i byth yn gwneud y gwely, ond mae yna rywbeth yn wahanol i'r arfer yma. Yna rydw i'n ei gweld hi – dalen wedi ei chlipio yn sownd yn y llenni. Llun o angel yn hedfan ydy o – llun cartŵn o angel yn taflu saethau o'r awyr, ac maen nhw'n glanio o amgylch y tŷ. Rydw i'n gallu gweld mai'r Graig ydy'r tŷ ac wrth edrych yn fanylach rydw i'n adnabod fy wyneb i yn wyneb yr angel.

Tynnaf y llun oddi ar y llenni, ei lapio a'i roi yn fy mhoced. Wedyn rydw i'n agor y droriau ac yn dewis ambell ddilledyn a'u rhoi yn y bag. Dim ond digon am ryw ddiwrnod neu ddau. Dof o hyd i grys Aled ar y gwely ei lapio a'i roi efo fy nillad i yn y bag. Wedyn rydw i'n cloi drws y garafán ac yn cuddio'r goriad. Dim ond wedyn rydw i'n cofio am y ffenast, felly rhaid mynd rownd i'r talcen a cheisio ei gosod yn ei hôl gora galla i. Llwyddaf i osod polyn i bwyso yn ei herbyn, a rhoi pen y polyn yn y ddaear a choncrit bloc i'w gadw fo rhag llithro. Mi wneith y tro.

Wrth i mi gau'r giât a chychwyn am yr Hwylfa Lydan, clywaf sŵn car y tu ôl i mi. Mae nghalon i'n llamu, ond Colin sydd yno ar ei ffordd yn ôl o'r Graig. Mae Plancia efo fo. Maen nhw'n stopio i roi pas i mi. Rydw i'n neidio i'r cefn, ac yn cael cyfle i holi.

'Sut mae petha yna?'

'Roedd Aled wedi mynd draw,' medda Plancia. 'Mae hi wedi cael y pyreishion bora ma,' ychwanega.

'Doedd o ddim yn gwybod dim byd…' medda Colin wedyn.

'Mae'r hen Iori Jones yn dda, sti Colin…' mi adewais i'r sgwrs wedyn, rhyngthyn nhw ill dau. Fedrwn i ddim ond meddwl am Aled, ac yna am y llun. Tynnais o allan o fy mhoced eto – ia – y Graig oedd y tŷ, a finna oedd yr angel. A Llyr yn bendant oedd wedi ei greu o.

'Ti am ddod efo ni?' gofynna Colin, ond rydw i wedi methu rhediad y sgwrs ers meitin, wedi fy nghloi efo fy meddylia.

'Be?'

'Ti am ddod am beint i'r Ship?'

Mae o'n edrych arna i drwy'r drych.

'Y… ia… waeth i mi hynny,' atebaf, gan nad ydy Mam adra, a does gen i ddim arall yn galw.

'Bryna i ginio i chdi…' medda fo wedyn. Mae yna rywbeth mawr wedi digwydd i Colin, er dydw i ddim yn siŵr iawn be.

''Di ffendio cariad newydd mae o,' medda Plancia, wrth i mi gwestiynu.

Dydy Plancia byth ymhell o'i le, ond wnes i ddim holi.

Mae yna dipyn o bobol yn y bar, ac mae Lisa wrthi'n brysur yn trio gweini ar bawb. Rydan ni'n gweithio am yn ail, a'i thro hi ydy gwneud shifft pnawn heddiw.

Mi ddoth Mags â brechdan bob un i ni ymhen sbel, a dod i eistedd aton ni i ochor arall y bar. Roedd Meic a Cai wedi picio i mewn fel byddan nhw amser cinio, i nôl brechdan cyn mynd yn eu blaena at y joban nesa.

Mi roeddwn i'n gwybod ar Mags ei bod hi'n ysu am gael holi Meic ynglŷn â'r ambiwlans. Ond roedd yr olwg ar wyneb Meic yn ddigon i gau ceg Mags hyd yn oed.

Daeth sŵn chwerthin uchel o'r drws a daeth pobol Waun Hir i mewn a Jay a Pixie i'w canlyn. Roedd hi'n amlwg o'r taro cefna a'r chwerthin bod rhywbeth yn plesio.

'*A fine little pony. Did us proud, Jay,*' medda gŵr Waun Hir dros y lle, a tharo cefn Jay nes bod hwnnw'n tagu.

'Be, sôn am y wraig mae o?' medda Plancia. 'Wedi cael cynta yn y sioe 'wyrach.'

'Am arddangos ei donia…'

Ac felly buodd hi wedyn, yn dynnu coes, a herio.


Gadewais Plancia a Colin yno. Roeddwn i am fynd i chwilio am Llyr, er nad oeddwn i'n awyddus i weld Janet. Roedd Meic y tu allan yn pwyso ar y wal yn aros i Cai nôl y tractor o'r cefn ac wrthi'n rowlio smôc. Nodiodd arna i, ac mi es inna draw ato fo.

'Iawn, Meic?' gofynnais.

Fedrwn i ddim meddwl am ddim byd arall i'w ddweud wrtho fo. Daliodd ati i rowlio am funud, cyn codi'i ben.

'Mi fues yn well, mae'n siŵr i ti, Alice, ond dyna fo,' medda fo'n dawel. 'Diolch i ti am holi…' ac mi wenodd arna i.

Dydw i ddim yn meddwl i mi erioed weld Meic yn gwenu fel'na o'r blaen.

Yna daeth Cai â'r tractor. Neidiodd Meic i'r cab ac i ffwrdd â'r ddau.


Ar ôl swpar, mi es i allan efo Mam i eistedd. Roedd hi'n fwyn iawn, a'r gwybed yn dechrau hel am y gola. Doedd ganddon ni ddim byd gwell i'w wneud, felly mi eisteddodd y ddwy ohonan ni ar y fainc yn edrych allan ar y bae, a'r hwyliau bach dioglyd ar y môr. Ers i Nhad fynd i weithio i ffwrdd, roedd yna awyrgylch mwy bodlon yma rywsut.

'Sut mae petha? Dach chi'n gwybod, Dad a chi?' Mentraf.

'Iawn... rydan ni'n deall ein gilydd dy dad a finna,' medda hi.

Ond roedd yna hiraeth yn ei llais. Ai dyna'r gora fedar rhywun obeithio amdano mewn bywyd, dod i ddeall ei gilydd? Dioddef ei gilydd felly, mae'n debyg. Ond wnes i ddim holi ymhellach.

'Wyddwn i ddim am Meic ac Anti Lilian chwaith.' Arhosaf am funud. Wnaeth Mam ddim ateb am dipyn.

'Roeddan ni i gyd yn ifanc sti, Alice...' medda hi ymhen sbel. 'Dyna ddrwg pobol ifanc ym mhob oes – maen nhw'n meddwl y byddan nhw'n ifanc am byth, ac na fydd petha'n newid. Maen nhw'n mynd yn ddiofal wedyn, yn gwthio'r ffinia, yn meddwl eu bod nhw'n ddigon tebol i ddygymod efo petha...' Mae hi'n aros ac yn edrych ar ei dwylo. 'Roeddan ni'n... brifo a chael ein brifo, heb feddwl fod oes yn amser rhy hir i ddifaru.'

'Be ddigwyddodd? Pam na fyddan nhw wedi dod yn ôl at ei gilydd wedyn 'ta, dach chi'n gwybod, ar ôl geni Aled a ballu?'

'Petai a phetasa – y ddau air casâ...' medda hi. 'Mi briododd Meic ryw hogan o ffwrdd, ond wnaeth petha ddim para. Roedd pob dim wedi newid wedyn, mae'n debyg, gormod o ddŵr wedi llifo o dan y bont.'

Roedd golwg wedi blino arni.

'Dwyt ti byth yn mynd yn rhy hen i garu, nac i fod eisiau cael dy garu,' meddai hi wedyn. 'Mae cael dy wrthod yn dal i frifo ar ôl blynyddoedd sti, dim ond ei fod o'n boen mwy dwl – dim y llosg ffyrnig yna ydy o yn y dechra, y boen lle rwyt ti'n methu byw yn dy groen.'

Yna canodd cloch y ffôn a chododd Mam yn ara a mynd i mewn i'r tŷ i'w ateb. Roedd y gwybed yn bla bellach a dilynais inna.

'Ydyn nhw wedi dweud rhywbeth wrthat ti?' Rydw i'n ei chlywed hi'n holi. 'Ia... gobeithio'r gora felly...' rydw i'n aros wrth y drws i wrando.

'Wel cofia, os medra i wneud rhywbeth... be am dy daid?'

'Dyna fo, cofia fi ati... Dyma hi Alice i ti rŵan.'

Mae'n llaw i'n chwys i gyd, wrth i mi gymryd y ffôn oddi arni.

'Alice?' meddai'r llais ar ben arall y ffôn.

'Ia?'

'Rhaid i mi dy weld di. Ga i ddod i dy nôl di?'

Mae ei lais o'n swnio'n ddiarth rhywsut, fel 'tai o ar frys.

'Ia, iawn... Na, ga i fenthyg car Colin. Fydda i yna rŵan.'

Rydw i'n rhoi'r ffôn yn ôl yn ei chrud. Gwn fod Mam yn gwrando, ond dydy hi ddim wedi dod allan i'r cyntedd eto. Wedi rhoi fy mhen rownd drws y parlwr, lle mae Colin yn gorwedd ar y soffa yn gwylio'r teledu holaf fy mrawd.

'Ga i fenthyg dy gar di?' gan gydio yn y goriada cyn iddo fo ddeall y cwestiwn.

Mae Mam wedi dod allan o'r gegin erbyn hyn, ac mae hi'n sbio arna i.

'Cymar ofal,' medda hi. 'Cymar ofal, Alice.'

A dyna i gyd.

# Yr Hen Ŵr

RHYW OLWG DIGON gwachul weles i arno fo'r bora 'ma. Doedd o ddim am fynd draw i weld ei fam medda fo, petha angan eu gwneud. Ond mi ddyla fo fynd, ac mi ddeudish i wrtho fo hefyd. Mi ro'n i wedi gwisgo'n barod. Roedd Plancia wedi estyn y siwt i mi, ac mi ro'n i wedi molchi a chael hwyl go lew ar siafio ac wedi gwisgo crys glân. Roeddwn i'n eistedd yn y gegin yn aros amdano fo. Mi ddoth i mewn ar ei hyll a thymer sobor arno fo.

'Ydy Llyr wedi bod yma?' gofynnodd.

'Naddo, dydw i ddim wedi'i weld o ers misoedd.'

'Peidiwch â rwdlan – mi fuodd o yma ddechra'r wythnos.'

Rydw i'n cofio rŵan; do siŵr, mi ddoth â llun i mi. 'Do, mi ddoth â llun i mi, sti…'

'Dwi'n gwybod, Taid. Fuodd o i fyny wedyn?'

Fedra i ddim cofio.

'I be wyt ti angan Llyr?' Mae yna rywbeth yn ei boeni fo.

'Dim byd, Taid. Dydy o ddim o bwys,' medda fo wedyn.

Mae hi bron yn hanner awr wedi deg. Mae hi'n mynd yn hwyr rŵan.

'Wyt ti'n barod?' medda fi.

'Be?'

'Dwi'n dod efo ti bora 'ma.'

'Dod efo mi i ble, Taid?' medda fo a mynd drwodd i'r gegin.

'I'r hosbitol siŵr iawn…' medda finna, a gallwn ei glywed o'n rhoi dŵr yn y tegall. 'Dydw i ddim isho panad cyn cychwyn.'

'Dydw i ddim yn mynd i'r sbyty bora 'ma, Taid,' medda fo o'r gegin.

'Pam?' medda finna wedyn. 'Mi ddylat ti fynd, a finna. Rhaid i mi fynd i'w gweld hi sti. Mi fydd hi'n methu dallt lle rydw i na faswn i yno.'

Wedyn mi ddoth drwodd yn ei ôl â phaned i mi.

'Dydw i ddim isho panad,' medda finna a thrio codi, i ni gael cychwyn.

'Dydw i ddim yn mynd rŵan, Taid. Chawn ni ddim mynd i mewn yn bora fel hyn…' tarodd y mỳg i lawr ar y bwrdd wrth fy ymyl i, a cholli ei hannar o ar y llian.

'Dydw i ddim isho panad,' medda finna wedyn.

'Yfwch hi, wir Dduw,' medda fo a'i chychwyn hi am y drws.

'Aled,' medda finna. 'Paid ti â throi dy gefn ar dy fam.'

'Peidiwch â dechra Taid,' medda fo wedyn. 'Peidiwch â ffycin dechra.'

A dyna fo – roedd o wedi mynd. Mi glywais i'r car yn tanio ac yn gyrru fel tasa cŵn y fall ar ei ôl o. Mi eisteddais i yno wedyn, yn yfad y baned – doedd waeth i mi ei hyfad hi na'i gwastraffu. Disgynnodd dafn o de ar fy nghrys gora oddi ar waelod y mỳg. Tasa fo ddim wedi rhoi'r mỳg i lawr mor wyllt fasa fo ddim wedi colli te ar hyd bob man, a tydy Lil ddim adra i olchi'r crys i mi. Mi staenith, digon siŵr, a hwn ydy fy nghrys gora i. Dwn i ddim be ddaw ohonan ni.

Wedyn rydw i'n cofio am y cathod. Rydw i'n gadael gwaelod fy nhe, yn mynd trwodd i'r gegin i nôl mymryn o fara, yn torri'r bara i mewn i'r te cynnas ac yn rhoi tropyn o laeth ar ei ben o. Does yna ddim tunia bwyd cath ar ôl. Rydw i'n rhoi'r bwyd yn y ddesgil wrth ddrws y cefn, ond tydy hi ddim yn dŵad am sbel. Mae hi wedi cario'r gath fach yn ôl o dan y belar mwn, achos mae'r bocs yn wag.

Wedyn, rydw i'n mynd yn ôl i eistedd am sbel, ac mae Llyr yn cyrraedd yn y car. Mae o'n dŵad â bag efo fo.

'Be sy gen ti yn y bag yna, Llyr?' medda finna.

'Rhyw fanion, Taid. Mi fasa'n well i mi ddod i fyny atoch chi i aros am sbel,' medda fo. Nid gofyn geith o, dim ond deud ei fod o am ddod – a dyna fo.

'O, dyna ti,' medda finna. Mi fydd cwmpeini'n ddigon braf.

'Rydach chi'n smart o'ch co,' medda fo wedyn. 'Oeddach chi'n cychwyn i rywle?'

'I'r hosbitol,' medda finna.

'Efo pwy?'

'Aled.'

'O!'

Ddeudodd o ddim byd wedyn, dim ond mynd trwodd i wneud brechdan i ginio.

'Wn i,' medda fo gan roi ei ben rownd y drws. 'Be am i ni'n dau fynd am dro, gan eich bod chi wedi gwisgo'ch siwt ac yn barod?'

'Am dro i le... ?'

Dydy fy nghoesa i ddim fel buon nhw.

'Be taswn i'n lapio'r brechdana 'ma ac yn gwneud fflasgiad o de, ac mi awn ni i lawr i lan môr am bicnic.'

Fues i ddim i lawr at yr Abar ers blynyddoedd. Fydda i ddim yn nabod y lle. Rhyw garafanna a thai mawr wedi eu codi hyd yr ochra ym mhob man, a phobol a cheir a nialwch.

Cawson ni le i barcio'n reit hwylus, wedyn aethon ni i eistedd ar fainc y tu allan i'r caffi i fwyta'n brechdana. Mae yna hen wylan ddigywilydd yn dod yn nes aton ni o hyd, a hogyn bach yn ei hel hi i ffwrdd efo'i rwyd, chwarae teg iddo fo.

'Diolch i ti 'machgian i,' medda finna, ac estyn rhyw fymryn o bres iddo fo am ei drafferth. Edrych yn ddigon od arna i wnaeth o wedyn, a rhedag i roi'r pres i'w fam.

Dwn i ddim pryd y gwelais i'r môr yn agos fel hyn ddiwetha. Mae'r swnd yn mynnu dal yn fy nhraed i, ond rydw i'n mynd i lawr at y creigia yn ara deg bach. Cymeraf fy ffon a chwalu tipyn ar y graean wrth fy nhraed, nes dod o hyd i gragen felen gron.

'Wnei di godi honna i mi, Llyr?' gofynnaf.

Mae Llyr yn ei chodi a'i gosod yn fy llaw. Rhwbiaf y tywod mân oddi arni. Mae hi'n dlws, a'i hymylon crwn yn berffaith, yn dal i fynd rownd a rownd yn ddi-dor.

'Fedrwch chi glywed sŵn y môr ynddi hi, Taid?' gofynna Llyr.

Fedra i glywed dim byd ynddi, ond mi fedraf weld

digon. Dydw i ddim am ei chadw hi, dim ond ei thaflu yn ôl i'r traeth – mae hi'n rhy berffaith i gael ei chadw yn glòs mewn poced rhyw hen ddyn fel fi.

'Dowch,' medda Llyr wedyn, ac mae o'n gafael yn fy mraich i, rhag i mi faglu yn y tywod. Mae yna awel go lew yn codi o'r môr, a hogan fach wrthi'n hedfan barcud efo'i thad. Mae'r ddau'n chwerthin, a'u hwynebau'n llawn o'r haul. Braf arno fo, yn cael hedfan barcud efo'r hogan fach fel'na. Symuda ati a rhoi ei law dros ei llaw fach hi, er mwyn ei helpu hi i lywio'r barcud, a'i gadw fo rhag disgyn i ganol y tonnau. Mae hi'n troi ac yn gafael amdano fo ac yn chwerthin. Ond dŵad i lawr wnaeth y barcud yn diwadd – ac mae'r dyn yn torchi coesa ei drowsus ac yn mynd i ganol y tonnau i'w nôl.

Aros ar y lan wna'r hogan fach gan ei wylio.

'Fasach chi'n licio mynd i weld yr eglwys?'

'Na,' medda finna. Tydw i ddim isio mynd i fanno.

'Dowch o 'na. Mae hi'n agored rŵan chi. Mi gawn ni fynd i mewn i ista.

Waeth i mi heb â dweud dim, gan ein bod ni yno wrth y porth. Eglwys fach, fach ydy hi. Eglwyswrs oedd teulu Gwenni.

Rydan ni'n mynd i mewn, ac mae hi'n oer sobor yno. Eisteddwn wrth ymyl yr allor ac mae rhywun yn dweud rhywbeth wrtha i. Yr hen reithor sydd yna ac mae o'n dweud wrtha i am godi. Mae gen i siwt newydd – brethyn llwyd ydy hi. Rydw i wedi llosgi fy ngwar yn ystod y cynhaeaf ac mae'r golar wen stiff yna'n crafu'r llosg haul. Rhoddaf fy mys i lawr rhwng y golar a'r croen i drio llacio dipyn arni ac mae'r bachyn yn agor, ond fedra i ddim ei roi o'n ôl rŵan. Mae staen rhywbeth ar fy nghrys i.

Rydw i yno'n sefyll o flaen yr allor ac mae yna lian gwyn drosto fo a bloda – rhosod bach gwynion ydyn nhw a chydig o ddeiliach. Ysaf am edrych yn ôl, ond mae'r rheithor yn sbio arna i'n sobor reit; wedyn rydw i'n methu peidio, ac edrychaf yn ôl i gyfeiriad y drws – a dyna ble mae hi, mewn ffrog wen a bloda yn ei gwallt, a menyg bach gwyn am ei dwylo. Mae hi'n gwenu arna i rŵan, bron nad ydy hi'n chwerthin – rydw i'n gwybod ei bod hi eisiau chwerthin – un ddrwg ydy Gwenni am chwerthin. Mae hi'n gwenu arna i, ei phen yn gwyro at y naill ochor fel y bydda hi, a finna eisiau mynd ati a gafael amdani, a theimlo'i chorff hi'n gynnas a meddal yn fy mreichiau i.

Pan drof yn ôl tydy'r rheithor ddim yno, na'r llian gwyn, na'r rhosod ar yr allor. Dim ond bloda gwyllt sydd bron â gwywo.

'Gawn ni fynd adra rŵan?' gofynnaf, ac mae'r ddau ohonon ni'n cerdded yn ôl at y car yn dawel.


'Mi fuo Aled yn chwilio amdanat ti bora 'ma,' medda fi wrth gofio.

'O?'

'Roedd o'n daer – angan dy weld di medda fo.'

Ddywedodd Llyr ddim gair.

'Oes yna rywbeth wedi digwydd rhyngddoch chi, Llyr?' medda finna wedyn.

Mi fedra inna weld yn iawn be sy'n digwydd o

'nghwmpas i 'fyd. Rydw i *wedi* medru gweld erioed, ond fydda i byth yn deud. Calla dawo.

'Nag oes, Taid,' yw ei ateb, ond rydw i'n gwybod yn well.

'Rhaid i chi'ch dau gymodi, beth bynnag sydd. Peidiwch â gadael iddo fo ddod rhyngddoch chi... dim ond chi'ch dau sydd gen i ar ôl rŵan.'

Dydw i ddim yn meddwl yr a' i i'r hosbitol wedi'r cwbwl.

# Llyr

B E SYDD WEDI digwydd rhyngon ni? Aled a finna. Dim, dim byd o gwbwl. Ond *mae* yna rywbeth wedi digwydd rhwng Alice a fynta. Fy Alice i. Fedar o ddim gwneud hynny – cheith o ddim dwyn Alice hefyd oddi arna i. Wnaeth o ddim dwyn y Graig oddi arna i, cofiwch – fi aeth i ffwrdd, achos na fedrwn i fyw 'ma. Wnaeth o ddim dwyn Dad oddi arna i chwaith, ond rydw i'n gwybod mai poen meddwl fues i iddo fo erioed, am nad oeddwn i'n hogyn 'ffarmio' fel Aled, ac eisiau i mi fod fel Aled roedd o.

Fedra Aled wneud dim o'i le. Mi geith Aled gadw'r lle yma, y cwm, y Graig a'i phobol hi. Mi geith o bob dim, ac mae o wedi cael pob dim yn barod – ond nid Alice. Fi pia Alice. Dydy o ddim yn ei nabod hi fel fi. Ddim yn gwybod am ei hofnau rhyfedd hi, a fydda fo ddim yn gallu amgyffred ei breuddwydion hi. Fydda fo ddim yn deall dim am yr enaid aflonydd yna sydd ynddi. Mi fydda fo eisiau rhoi hualau am Alice, fel y bydd pobol y lle 'ma i gyd yn ei wneud. Ond cheith neb wneud hynny iddi; cheith neb fyth gloi'r adenydd arian tryloyw yna, neb. Fy angel i ydy Alice.

Rydw i'n codi, ac yn mynd yn droednoeth i edrych ydy Taid yn effro. Mae o wedi codi ac yn eistedd ar erchwyn y gwely. Rydw i'n ei helpu i wisgo yn ara deg bach. I be mae o angan yr holl ddillad ar ddiwrnod mor boeth, Duw a ŵyr. Arferiad mae'n debyg. Y sana ydy'r her fwya – sana gwlân trwchus yn cuddio'r croen gwyn sydd mor frau â phapur sidan. Yna'r slipars brown melfaréd. Ac rydan ni'n barod i fynd i lawr i'r gegin.

Rydan ni'n dau yn ista wrth y bwrdd yn bwyta'n brecwast, a daw Plancia i mewn.

'Mae ganddoch chi gwmpeini?' medda fo, o'r drws, a tydy o ddim yn symud ymhellach. 'Doeddwn i ddim yn gwybod dy fod di yma, was,' medda fo wedyn yn ansicr. Rydw i'n gwybod fy mod i'n ei anesmwytho, felly af trwodd i'r gegin i nôl cwpan arall, a daw yntau i mewn. Gwnaf le iddo fo wrth y bwrdd.

'Ydach chi wedi clywad rhywbeth bora 'ma... am Lilian?' mae o'n gofyn. Dydy Taid ddim fel petai o'n clywed. Mae Plancia'n troi ata i wedyn ac yn ail-ofyn y cwestiwn. Rydw inna'n ysgwyd fy mhen.

'Naddo, cofiwch... dwn i ddim be ydy cynllunia Aled chwaith,' medda finna.

'Dydy o ddim am fynd draw, sti,' medda Taid wedyn wrth Plancia. 'Tydy o ddim am fynd draw i edrych amdani, sti.'

'Tybad?' mae Plancia yn edrych yn ddryslyd arna i.

'Na, felly deudodd o ddoe, tydy o ddim am fynd draw i'w gweld hi eto. Ond mi ddyla fynd, yn dyla?' medda Taid wedyn.

'Ew, na, rydach chi'n ei methu hi rŵan chi,' medda Plancia wedyn. 'Mi weles i gip ar Aled neithiwr yn y Ship, ac ar ei ffordd yn ôl o'r hosbitol roedd o amsar hynny.'

'Yn y Ship?' medda Taid. 'Be oedd o'n ei neud yn y Ship? Pam na fasa fo wedi dod heibio yma?'

'Wel...' roedd Plancia wedi rhoi ei droed ynddi, a wyddai o ddim sut i ddod allan ohoni. 'Dim ond picio am beint decini, Iori Jones... Mi roedd hi'n hwyr, andros o hwyr, rhy hwyr i'ch poeni chi siŵr braidd.'

Roedd yr hen griadur yn trio'i orau i ddod allan o un twll, cyn camu heb iddo sylweddoli'n syth i mewn i un arall.

'Oedd, roedd hi'n gythgiam o hwyr achos mi roddodd bas adra i Alice – felly mi roedd hi ar ôl stop tap mae'n rhaid.'

Mi adawais i nhw yno'n sgwrsio, a mynd allan i eistedd ar y fainc wrth wal yr ardd. Fedrwn i ddim gweld y Graig o'r lle'r oeddwn i'n eistedd, a doeddwn i ddim eisiau medru gweld y Graig. Roedd geiriau Plancia'n dawnsio o gwmpas f'ymennydd.

Dim ond rhoi pas adre iddi – dim byd arall. Dechreuodd y lleisia ddadla yn fy mhen i. 'Paid â bod mor uffernol o ddwl, dim ond pas adra iddi, o ddiawl! Mi fuodd ei facha budron o drosti i gyd,' medda un llais. 'Dyna ddeudodd Plancia,' meddai'r llais arall. 'Wnaeth o ddim sôn am gyffwrdd yn Alice, dim ond rhoi pas iddi ar ei ffordd, gan ei fod o'n pasio'r Gelli – ei gadael hi wrth y garafán wnaeth o siŵr...'

Roedd yn rhaid i mi ei gweld hi. Roedd Jay ym muarth y Gelli efo'r cŵn o'i gwmpas, ond wnaethon nhw ddim sŵn. Mi waeddais gyfarchiad iddo fo cyn plannu i mewn i dywyllwch y sied sinc. Doedd gen i ddim amynedd cael sgwrs efo Jay y bora 'ma. Trïais y drws a galw ei henw, ond ddaeth yr un ateb o du mewn

i'r garafán, ac roedd y drws ynghlo. Es rownd i'r talcen
i mi gael edrych trwy'r ffenast oedd wedi disgyn, ond
roedd rhywun wedi gosod y ffenast yn ôl yn ei lle, ac
wedi rhoi polyn i bwyso arni. Roedd y garafán yn wag
a thaclus. Doedd neb wedi bod yno'n cysgu neithiwr.

Doedd Alice ddim yno, nac yn debygol o ddod
yn ôl yno'n fuan gan nad oedd ei dillad i'w gweld yn
unman.

'*Looking for Alice?*' medda Jay, a neidiais.

'*Yes, is she around this morning?*'

'*No, haven't seen her up here… only in the Ship like.
But you know Alice. She might be back later,*' medda fo'n
ddigon clên.

Diolchais iddo fo. Ond roeddwn i'n gwybod yn well
na fo, na fydda hi'n ei hôl yn fuan, os o gwbwl.


Dyma fi – fy hun unwaith eto. Dim ond fi a'r byd.
Rhaid i mi beidio. Rhaid i mi beidio â gadael i mi fy
hun suddo i'r hunandosturi yna eto. Rhaid i mi fod yn
ddewr a wynebu pethau – ofnau, pobol a digwyddiadau.
Yn lle rhedeg a chladdu 'mhen mewn hunandosturi fel
ers talwm. Rhaid i mi ei gweld hi. Rydw i'n mynd
i fyny at y Graig. Mae car Aled yno. Rydw i'n aros
wrth y drws – wnes i erioed gnocio ar ddrws y Graig
– fy nghatre i oedd o – pan oedd Nain a Nhad yn
fyw o leiaf, a Lilian wrth gwrs. Dyna fydda Lilian yn ei
ddweud bob amser,

'Cofia di ddod adra yma i'r Graig aton ni, os byddi
di angan rhywbeth… tyrd yn ôl adra aton ni…' dyna ei
geiriau hi cyn i mi adael am Lerpwl – 'yn ôl adra…'

Fedra i ddim penderfynu be ddylwn i wneud. Rydw i'n sefyll yno y tu allan i'r drws mawr derw, yn rhoi un cnoc ac yn troi'r bwlyn. Dydy'r drws ddim yn agor. Mae hynny'n fy ngwneud yn anesmwyth, dydy drws y Graig byth ynghlo. Mae'n rhaid i mi guro. Rydw i'n curo ac yn curo. Rydw i'n clywed traed ar y grisia, a'r clo yn cael ei agor.

'Fi… sy ma…' medda fi.

'Ia, be sydd?' Mae Aled yno, ar hanner gwisgo. Nid ei ddillad bob dydd. 'Be ti isho Llyr?' Mae o'n holi eto.

Fedra i ddim meddwl be i'w ddweud am funud. Yna rydw i'n cofio am Lilian. 'Mynd i'r sbyty wyt ti?'

'Ia.'

Mae o'n troi oddi wrthaf fi ac yn arwain y ffordd i'r gegin, gan wisgo ei grys a thrio llenwi'r tegall 'run pryd. Rydan ni'n dau'n sefyll yno'n anesmwyth.

'Panad?'

'Isho gweld Alice ydw i, Aled,' medda finna wedyn.

Dydy o ddim yn troi i fy wynebu i'n syth. Mae o'n aros ac yn cau ei grys yn ara deg.

'Ydy hi yma?'

Dydy o'n dweud dim, dim ond estyn dau fŷg o'r sinc, yn rhoi dŵr drostyn nhw ac yn eu gosod nhw ar y bwrdd. Yna mae o'n troi ac yn edrych arna i.

'Na, dydy hi ddim yma, rŵan,' medda fo'n dawel.

Wedyn mae o'n eistedd wrth y bwrdd, gyferbyn â mi. Mae o'n cydio yn y tebot ac yn ei ysgwyd o'n ara bach. Dydy hyn ddim yn gwneud unrhyw synnwyr i mi. Rydw i fel petawn i'n codi o'm corff ac yn edrych ar yr olygfa o'r tu allan.

*Mae yna ddau ddyn yn sefyll wrth fwrdd cegin, gyferbyn â'i gilydd. Mae un yn cydio mewn tebot, ac yn tywallt te i ddau fŷg. Be ddiawl maen nhw'n ei wneud yn yfad te fel dwy hen wraig mewn caffi? Ond unrhyw funud mi fydd y mygiau brau yn malu'n shwrwd, yn malu'n shwrwd dan rym y cydio. Mae'r ddau yn sefyll gyferbyn â'i gilydd, ar ganol llawr y gegin. Fel fflach mae un yn troi a dyrnu'r llall, nes mae'n ei gael ar lawr, mae pen yr un sydd ar y llawr yn cael ei wasgu i ochor y stôf, yn erbyn drysau gwynias y stôf. Mae'r wyneb yn dechrau toddi fel cwyr, mae'r llygaid yn rhedeg a'r geg yn creu crechwen dieflig wrth doddi'n hylif hyll ac yn dripian ar hyd y llawr. Aled ydy o, wyneb Aled ydy o. Dydy o ddim yn symud, ond fedra i ddim gadael llonydd iddo fo chwaith. Rydw i'n dechrau cicio. Does yna ddim smic o sŵn. Dim ond fy nhroed yn cicio, cicio'r cefn ac i fyny hyd yr asgwrn nes cyrraedd lle dylai'r pen fod. Rydw i'n stopio cicio achos does yna ddim byd yno sy'n ymdebygu i fod dynol, dim ond cwyr wedi toddi'n groen hyll llwyd, dim llygaid na gwefus, na dim.*

Rydw i'n croesi i sefyll o flaen y stôf, fel bydda i'n gwneud bob amsar yn y Graig. Mae hi'n oer, does dim gwres yn dod ohoni o gwbwl. Does yr un ohonon ni'n dweud gair. Wedyn rydw i'n symud i edrych trwy'r ffenast, ac yn gweld Plancia'n gadael y Weirglodd. Fedra i ddim edrych ar Aled. Mae fy llais i'n dod o bell, bell.

'Rhaid i mi ei gweld hi…'

Dydy o'n dweud dim am funud. Wedyn mae o'n codi a dod i sefyll wrth fy ymyl i.

Yna mae o'n dweud, 'Yn y garafán, bora o'r blaen…'

medda fo 'ddylwn i ddim bod wedi cydio ynot ti… ma'n ddrwg gen i, Llyr.'

Ond fedar o ddim sbio arna i.

'Ydach chi'n… ti'n gwybod…?' rydw i'n holi, ac mae fy migyrna fi'n wyn, wyn, wrth gydio yn y my`g a'r te oer.

Dydy o ddim yn ateb. Dim ond symud at y gadair i wisgo'i sgidia.

'Rhaid i mi fynd at Mam…' medda fo wedyn. 'Mae Alice wedi symud yn ôl adra am sbel. Pam nad ei di draw i Ty'n Llechwedd i'w gweld hi?'

Mae hynny'n fy ngwneud i deimlo'n fwy anesmwyth. Pa hawl sy gan Aled i ddweud wrtha i am fynd draw i'w gweld hi, fel 'tai hi'n eiddo iddo fo? Fel tasa hi'n ornament newydd – yn gismo newydd – yn beiriant newydd; dos draw i'w gweld hi o ddiawl.

'Efo fi mae Alice i fod… ti'n gwybod hynny.'

Dwi'n trio 'ngora i gadw'r wich o fy llais.

'Mae petha'n newid Llyr… fedar popeth ddim aros fel roeddan nhw.' Mae o'n codi ac yn troi ei gefn arna i. 'Mae dy fam yn iawn Llyr, mae'n rhaid i ti adael llonydd i Alice. Dos draw i'w gweld hi rŵan, ond wedyn…'

'Na! Dwyt ti ddim yn deall… dydy Mam ddim yn deall. Dim ond efo Alice dwi'n teimlo'n… dwn i ddim…' fedra i ddim esbonio wrtho fo. 'Dim ond efo Alice… rydan ni'n deall ein gilydd.'

'*Roeddach* chi'n deall eich gilydd, ond tydy petha ddim 'run fath…' mae o'n troi ac yn cymryd cam tuag ata i.

'Does yna ddim byd wedi newid rhwng Alice a finna, Aled. Ddaw yna ddim byd rhyngon ni byth.'

Rydw i'n gweiddi erbyn hyn.

'Na, Llyr,' medda fynta heb godi ei lais, 'does gen ti ddim syniad, dwyt ti ddim yn gwybod ei hannar hi.'

Yna mae o wedi mynd.

# Aled

Janet ddyla ddweud wrtho fo, nid fi. Nid fy nghyfrifoldeb i ydy Llyr, na beth sy'n mynd i ddigwydd iddo fo. Ei fam o ddyla fod yno iddo fo. Ond fuodd hi rioed, a tydy hi ddim yn debyg o ddechra morol amdano fo rŵan. Pam dangos y llythyr i mi? I Llyr y dylai hi fod yn ei ddangos. Dydy hyn yn ddim i'w wneud efo fi. Ond mae Alice…

Dydw i ddim yn deall hynny'n iawn chwaith, ond ers y noson honno yn yr olchfa, mae cael Alice o 'nghwmpas i'n esmwytho peth ar y pryderon. Dydy hi ddim fel y lleill – a'u llygada'n fy nilyn, yn disgwyl am rywbeth o hyd. Dydy Alice byth yn disgwyl dim rhywsut, dim ond cymryd, ac wedyn rhoi, yn syml fel'na – fel y noson yn yr olchfa – caru a dyna fo. Wnaeth hi addo dim, na gofyn am addewid yn ôl. Does arna i ddim iddi hi, na hitha i minna. Ac eto neithiwr, pan ddaeth hi ata i i'r Graig, mi ges i awydd gofyn. Ond wnes i ddim, feiddiwn i ddim.

'Shsh, cau dy lygaid…' meddai hi gan ddylino'r croen uwchben fy aeliau yn ara ac yn gyson, nes i mi deimlo fy wyneb yn llacio, a'r boen yn dechrau cilio y tu ôl i'm llygaid. Mae'n symud ei gwefus yn gynnas dros fy wyneb, a theimlaf ei hanadl yn ysgafn fel adain gwyfyn yn mwytho fy nghlust. Rydw i'n troi i'w hwynebu yn y gwely blêr ac yn cydio am ei chorff esmwyth, a'i thynnu ataf nes ein bod ein dau ymhleth, yn gwlwm.

'Alice...' rydw i'n gafael yn ei hwyneb ac yn edrych arni. 'Wnei di...'

Mae hithau'n cau ei gwefusau am fy ngwefusau i gan rwystro'r siarad rhag parhau. Mae'n llacio'i breichiau o'r cwlwm, ac mae ei dwylo'n symud yn araf, ysgafn dros fy nghorff, gan chwalu'r cwestiynau'n shwrwd a'u gadael i stelcian ym mhlygiadau cynnas y cynfasau.

Wedi'r caru, mae hi'n codi ac yn symud am yr ystafell molchi. Mae hi'n gwisgo a dwi'n ei gwylio – ei gwallt yn dywyll wedi'r molchi. Mae'n symud yn ara fel 'tai hi mewn breuddwyd.

'Aros... i ble'r ei di?'

Ond mae hi'n plygu i fwytho fy ngwallt, ac yn rhoi rhyw chwerthiniad bach ysgafn. Mae'n fy nghusanu fel petai hi awydd dod yn ôl i'r gwely. Ond wnaeth hi ddim, a chlywais hi'n tynnu'r latsh gan adael i'r drws gloi ar ei hôl.

Mae'r dre'n brysur heddiw, a maes parcio'r ysbyty'n llawn. Rydw i'n hwyr yn cyrraedd ac mae drws y ward fach lle mae Mam wedi cau. Mae yna nyrs yn cerdded i fy wynebu ac yn galw fy enw i, ac yn gofyn i mi ddod i mewn i'r swyddfa.

'Aled Jones, ddowch chi i mewn i fan hyn am funud bach.'

Mae'r nyrs yn gofyn i mi eistedd. Rydw i'n eistedd ar ymyl y gadair blastig isel. Dydw i ddim eisiau eistedd ac wrth i mi godi, mae hi'n cymryd cam tuag ata i.

'Mae'n wir ddrwg gen i, Mr Jones...' meddai hi. 'Methon ni gael gafael arnoch chi neithiwr...'

Rydw i'n edrych arni. Mae hi'n gafael yn ei dwylo a dydy hi ddim yn edrych arna i am funud.

'Mae'n wir ddrwg gen i… ond, fe fu farw eich mam…'

Wedyn mae'n edrych arna i cyn dweud ei bod am fy ngadael am funud. Mae hi'n gofyn a fyddwn i'n hoffi cael paned o rywbeth. Rydw i'n meddwl am Taid yn dweud nad oedd o eisiau paned. Dydw i ddim eisiau paned chwaith. Weithia dydy rhywun jest ddim eisiau paned. Rydw i'n sefyll yno'n edrych ar y drws, a dydw i ddim yn gwybod beth ddylwn i wneud rŵan. Be mae rhywun i fod i'w wneud pan mae nyrs yn dweud wrthoch chi fod eich mam chi wedi marw? Rydw i'n edrych o nghwmpas fel taswn i'n disgwyl gweld llyfr neu bamffledyn 'What to do…' Ond mae'r nyrs yn ei hôl, ac mae ganddi ffycin paned.

Caf fynd i'r ystafell fach i'w gweld hi. Mae hi'n gorwedd ar y gynfas wen, ac ar y bwrdd bach, wrth ochor y gwely, mae'r blodau brynais i ar y ffordd i mewn ddoe. Maen nhw'n edrych yn hyll ac yn ffug ac mae eu lliwiau nhw'n rhy lachar. Symudaf nhw at y ffenast cyn belled â phosibl oddi wrthi ac yn difaru na fyddwn i wedi dod ag ychydig o rug neu rywbeth sy'n tyfu'n wyllt yn eu lle nhw.

Edrychaf ar ei hwyneb, yn fach ac yn eiddil, a'r cysgodion tywyll lle bu'r lliw cynnas. Mae rhywun wedi brwsio'i gwallt yn ôl oddi ar ei thalcen. Doedd hi byth yn brwsio'i gwallt yn ôl fel'na, achos doedd hi ddim eisiau i'r graith fach o dan linell ei gwallt ddod i'r golwg. Em oedd wedi taflu carreg pan oeddan nhw'n blant, ac roedd y garreg wedi taro Mam ar ei phen nes bod y gwaed yn pistyllio. Symudaf ei gwallt yn ôl fel ci fod o'n disgyn yn ysgafn bob ochor i'w hwyneb a sefyll yno wedyn wrth ochor y gwely gan afael yn ei llaw oer. Mae'r llaw yn fach yn fy llaw i, yn union fel gafael mewn llaw plentyn. Rydan ni wedi newid lle rhywsut. Dyma fi, yr oedolyn, yn gafael yn y llaw fach ysgafn yma, yn union fel y bydda hitha'n gafael yn fy llaw fach i ers talwm. Rydw i'n edrych ar y bysedd main, a sylwi bod yna ôl gwaith arnyn nhw. Dim ond modrwy aur dena ar ei bys canol – modrwy briodas Nain.

Rydw i'n mwytho'r bysedd, '*modryb y bawd, bys yr uwd, hirfys, cwtfys a Robin co bach... llechwn dan lechan, medda Robin co bach*'. Rydw i'n edrych ar ei hwyneb ac rydw i'n gweld unwaith eto law arw Meic yn mwytho'i gwallt hi'r noson yr aeth hi'n sâl. Mae'r ffrog wen newydd honno roedd hi'n ei gwisgo, wedi ei phlygu yn daclus ar y gadair wrth ochor y gwely, a sbrigyn o rug gwyn wedi ci osod arni. Does yna ddim byd arall ar ôl yma.

Yn ofalus iawn rydw i'n gosod ei dwylo'n daclus ar ei mynwes, ac yn codi'r grug a'i osod yn ofalus rhwng ei bysedd. Wedyn, rydw i'n ei gadael hi yno ar y gwely glân, gwyn.


Mae'r gwres yn llethol wrth i mi yrru yn ôl ar hyd ffordd yr arfordir. Caf gip o'r traeth wrth basio – maen nhw yno'n deuluoedd yn mwynhau'r haul a'r tonnau a'r traeth. Does yna neb ond fi'n gwybod am yr un bywyd bach sydd wedi ei golli, wedi peidio â bod.

Dydw i ddim yn edrych yn wahanol i neb arall ar y traeth. Does yno neb yn gallu edrych arna i a phwyntio ata i a dweud, 'edrychwch, dacw fo'r dyn sy'n cario pwysau'r byd ar ei gefn'.

Dydw i ddim yn mynd adre'n syth, er fy mod i'n gwybod bod yn rhaid i mi fynd at Taid. Mae hi'n amser cinio, felly rydw i'n troi'r car i mewn i gefn y Ship. Mae'r tractor yno, wedi'i barcio. Mae'r bar yn dywyll ar ôl bod allan yn yr haul, ac mae fy llygaid yn cael trafferth i gynefino. Mae Alice yno y tu ôl i'r bar, ond mae hi'n brysur yn cymryd ordor bwyd rhyw gwpwl ifanc, dieithr. Dydy hi ddim yn fy ngweld a chroesaf inna draw at ble mae Cai a Meic yn eistedd. Mae Cai yn fy ngweld, mae'n nodio arna i'n ddwys, ac yn mynd at y bar, i wneud lle i mi eistedd. Dydy Meic ddim yn codi ei lygaid oddi ar y smôc mae o wrthi'n ei rowlio.

'Awn ni allan?' mae o'n gofyn, ac rydan ni'n dau'n mynd yn ôl allan i'r haul ac yn pwyso'n cefna yn erbyn olwyn fawr y tractor. Mae o'n cynnig y baco i mi a finna'n ei gymryd. Dwi angan smôc rŵan. Dydw i ddim yn dweud gair – achos does gen i mo'r geiriau rydw i eu hangen.

'Oeddat ti efo hi?' mae o'n gofyn, a dw inna'n ysgwyd fy mhen.

'Peth bach…' medda fo.

Wedyn mae o'n stwffio'r baco 'nôl i boced ei grys gwaith ac yn edrych i lawr at y man lle bu ei draed yn symud y cerrig yn y llwch. Mae o'n tanio'r smôc ac yn edrych arna i,

'Fues i'n styfnig… yn ffycar styfnig.'

'Paid…' ond fedrwn i ddim dweud mwy, dim ond rhoi fy llaw iddo fo ac rydan ni'n dau yn sefyll yno yng nghefn y Ship, ein dwylo wedi eu cloi.

Rydw i'n ei adael o yno'n pwyso ar olwyn y tractor. Mae'n rhaid i mi fynd i fyny i'r Weirglodd.

Mae Taid yno'n eistedd yn ei gadair. Does yna'r un golwg o Llyr. Rydw i'n tynnu cadair oddi wrth y bwrdd ac yn eistedd wrth ei ymyl. Wrth i mi eistedd, mae o'n codi ei olwg ac yn sylwi ar fy wyneb i. Mae ei lygaid o'n edrych yn syth arna i, gan losgi twll yn fy llygaid i. Mae o'n trio dweud rhywbeth ond dim ond ei wefus sy'n symud – does dim geiriau, ac wedyn mae o'n dechrau crio. Ond does yna ddim sŵn, dim ond dagrau, dagrau bach distaw a chofiaf am y dagrau ar flodau'r grug yn y niwl.

Rydan ni'n dau'n eistedd yno am sbel.

'Be ddaw ohonan ni dŵad'?' medda fo.

Fedra i ddim sbio arno fo rŵan, ond rydw i'n gorfodi fy hun i ddweud, 'Mi fyddwn ni'n iawn Taid… mi fyddwn ni'n iawn.'

Wedyn mae o'n sbio arna i ac yn ysgwyd ei ben fel hogyn bach. 'Ond dwi wedi colli te ar fy nghrys gora ac mae o wedi gadael staen, sti…'

Rydw i eisiau troi a dweud wrtho fo am beidio â bod mor ffycin gwirion. Be ddiawl ydy o bwys am fymryn o staen ar ei grys o? Ond rydw i'n gwybod be sydd ganddo fo'n iawn. Mam fydda'n gofalu am betha felly.

'Di o'm bwys am y crys, Taid,' medda fi.

Mae sŵn car yn cyrraedd y buarth. Rydw i'n codi ac yn mynd at y ffenast. Janet sydd yna, ac mae Llyr efo hi. Mae wyneb Janet yn llwyd ac mae'r ddau'n cerdded at y tŷ heb siarad. Fedra i ddim diodda eu gweld nhw rŵan. Dydw i ddim yn barod i'w hwynebu nhw, felly rydw i'n mynd i'r gegin ac allan trwy'r cefn. Fedra i ddim mynd i'r Graig am funud chwaith, felly, rydw i'n gollwng Meg, ac mae'r ddau ohonan ni'n mynd i fyny am y ffridd. Rydan ni'n cerdded i fyny, trwy giât y mynydd ac i fyny at y creigia.

Mae hi'n dal yn boeth ac eisteddaf yng nghysgod un o'r cerrig mawr i gysgodi. Mae'r cwm yn ymestyn o fy mlaen yn union fel o'r blaen, a'r afon yn llusgo'n dena, ddioglyd i lawr at yr Aber. Uwchben mae yna ddau fwncath yn cylchu ac yn hewian, hen sŵn digalon. Rydw i'n estyn fy mraich allan ac yn gwneud ati fel taswn i'n anelu gwn ac yn eu saethu nhw. Ond does 'run ohonyn nhw'n symud, dim ond dal i droelli'n braf yn yr awyr gynnas.

Eisteddaf yno yn y grug nes bod y cysgodion yn lledu. Mae yna fan yn dod i fyny'r Hwylfa, yn mynd heibio i'r Gelli, ac yn dod yn ei blaen i fyny, heibio'r trofeydd, heibio troad y Weirglodd, ac wedyn yn aros. Daw tri allan ohoni. Ond mae'r gyrrwr yn mynd 'nôl ac yn gyrru i ffwrdd. Mae un ohonyn nhw'n mynd i lawr i gyfeiriad y Weirglodd, ac mae'r llall yn mynd ymlaen am y Graig. Fedra i ddim gweld drws y tŷ o'r fan hyn, ond dwi'n gwybod na fedr pwy bynnag sydd yno ddim mynd i mewn achos mae'r drws ar glo. Wedyn gallaf weld rhywun yn dod heibio talcen y tŷ ac yn edrych i fyny tuag at y creigia. Fedr neb fy ngweld yn fan hyn, ond mae pwy bynnag sydd yno'n dechrau cerdded i fyny tuag at y ffridd, ac wrth iddi nesáu gallaf weld mai Alice ydy hi.

# Alice

DDAETH MEIC DDIM yn ei ôl i'r bar, ond roeddan ni i gyd wedi deall wrth ei osgo pan ddaeth i mewn i'r Ship. Fuodd yna fawr o sgwrs gan neb wedyn, dim hwyliau o gwbwl, a doedd hyd yn oed Mags ddim fel tasa hi angan mwy o wybodaeth am unwaith. Wedi meddwl beth sydd yna'n fwy i'w wybod am farw rhywun – un ai mae rhywun yn fyw, neu mae o'n farw. Aeth Cai allan – yn ôl at ei waith. Mi glywson ni sŵn y tractor yn rhuo i fyny Hwylfa Lydan.

'Chwith meddwl...' medda rhywun, jest am fod hynny'n beth gweddol gall i'w ddweud mae'n debyg, pan fo rhywun wedi marw.

'Hen hogan iawn oedd Lilian, sti...' medda Mags wedyn ac estyn hances bapur o'i llawes. 'Chafodd hi fawr o lwc, yn naddo?'

Chwythodd Mags ei thrwyn yn hegar, a rhwbio'i llygaid nes bod y mascara yn gleisiau duon o dan ei llygaid.

'Naddo hwyrach...' doeddwn i ddim yn siŵr beth i'w ddweud, cymharol ydy lwc am wn i. Ydy pawb yn disgwyl yr un pethau gan fywyd? Wyddwn i ddim sut i ymateb. Os mai lwc ydy bod yn enwog, neu'n gyfoethog neu'n hapus neu'n iach, yna efallai mai cymharol anlwcus fu Anti Lilian. Ond mi wyddwn iddi gael ei charu – roedd yr olwg ar wyneb Meic yn ddigon i brofi hynny. Cofiais am Mam yn hel mafon a'r dagrau'n disgyn i'r jwg plastig. Crio dros Anti Lilian oedd hithau.

'Ydy Aled yn debyg iddi, dach chi'n meddwl, Mags?' gofynnaf. Dwn i ddim pam.

'Tebycach i'w daid fydda i'n ei weld o...' medda Mags, '... gallu bod yn uffernol o groes, meddan nhw.'

Eisteddon ni'n dwy wedyn ar y stolion uchel wrth y bar, y ddwy ohonon ni'n dawel. Doedd yna ddim byd i'w ddweud rhywsut.

'*Nice day.*' Daeth dyn Waun Hir i mewn yn ddannedd gwynion i gyd, a gollwng yr haul i mewn efo fo.

'*Very nice,*' meddwn inna.

'*Have a drink with me, Alice,*' medda fo cyn sylwi bod Mags yno yng nghysgod y drws. '*Maggie, what will you have, my love?*'

'*No, but thanks all the same, things to do...*' medda Mags, yn sefyll yno'n gwasgu'r hances bapur. '*Feeling a bit down this afternoon...*' Trodd ata i a gofyn, 'be ydy profedigaeth dwa'?'

'*Oh? What is it? Tom lost on the gee gees, did he?*'

'*No!*' meddwn inna'n gweld gwefus isa Mags yn dechrau crynu.

Roedd dyn Waun Hir wedi deall erbyn hyn, nad oedd tywyllwch bar y Ship yn ddim byd i'w wneud â'r diffyg haul.

'*A friend of Mag's has just passed away,*' meddwn inna, a meddwl yn syth fod y dweud yn un od. '*Passed away*'. Ydy Anti Lilian o'n cwmpas ni – yn ein pasio ni ar y coridor rhwng y bar a'r gegin? Wnaeth hi basio tractor Cai ar Hwylfa Lydan rŵan? Pasio i ble mae hi? Ond dyna rydan ni i gyd yn ei wneud, ynte? Pasio'r ddaear ar ein ffordd i rywle arall. Dim ond dros dro rydan ni yma.

'*Oh I'm sorry ladies, that was insensitive of me.*'

Rhyfedd ydy pobol ddŵad. Roedd y dyn i'w weld wedi styrbio a chymryd ato'n arw, er na wyddai o ddim am Lilian. Ac ar ôl ei hanner o stowt mi eith adra mwn, yn ôl i Ivy Bush, fu unwaith yn Waun Hir, a rhannu'r newydd trist efo'i wraig.

Ddaeth yna fawr o neb i mewn wedyn trwy'r pnawn gan ei bod hi'n llawer rhy braf. Felly mi ges inna orffen yn gynnar.

Roeddwn i eisiau mynd heibio Llyr, ond fedrwn i ddim chwaith. Felly mi gerddais i'n ara i fyny'r allt tuag at y fynwent. Roedd Plancia yno'n pwyso ar y wal.

'Iawn, Plancia?' holaf.

'Ydw, 'ngenath i...' medda fo, heb edrych arna i.

'Mynd am dro ydach chi?'

'Ia, meddwl y basa'n well i mi fynd i fyny atyn nhw, wsti,' medda fo, a thynnodd ei gap ac estyn cadach pocad i sychu'r chwys oddi ar y rhimyn croen lle'r oedd y cap yn crafu.

'Ffeind ydach chi, Plancia,' meddwn inna. Roedd yn arw gen i drosto fo. Dim ond teulu'r Graig oedd ganddo fynta.

'Wyt ti'n mynd i fyny?' medda fo wedyn, gan wneud osgo fel tasa fo am fynd yn ôl.

'Na!' meddwn inna. 'Dim ond mynd am ryw dro bach ydw i.'

'O, iawn felly,' medda fo a chychwyn yn ei flaen yn ara deg. Roedd yr allt yn serth ac roeddan ni'n dau'n colli ein gwynt yn lân yn y fath wres. Doedd wybod pryd y bydden ni'n cyrraedd y Weirglodd fel hyn. Dyna pryd y clywais i glecian cyfarwydd fan Jay. Sgrialodd rownd y tro a stopio'n stond.

'*Going far?*' medda fo gan sticio'i ben allan trwy'r ffenast agored.

'Dos di efo fo,' medda Plancia. 'Mi gerdda i, sbia.'

'Dowch 'laen, Plancia,' medda finna, ac mi es rownd i du blaen y fan i agor y drws i'r hen ŵr gael mynd i'r tu blaen i eistedd. Yna es inna i'r cefn ac agor y drws a neidio i mewn i ganol llanast a geriach ceffyla. Aeth Jay â ni'r holl ffordd i fyny at y Weirglodd ac wedi cyrraedd daeth i agor y drws cefn i mi. Stryffaglodd Plancia allan o'r tu blaen a diolchodd cyn mynd yn ei flaen yn benisel i lawr am y tŷ. Sylwais fod car Janet yno'n barod.

'*Thanks, Jay,*' meddwn inna, a throi i gau'r drws.

'Alice,' medda fo, a rhoi ei law dros f'un i ar handlen y drws. Edrychodd arna i'n hir, a rhyw hanner gwên ar ei wyneb. Cododd ei law a symud rhimyn o ngwallt o'm llygad,

'*I've missed you... will you be back in the caravan soon?*'

'*I'll come and clear my stuff, Jay,*' medda finna, gan symud ei law.

'*Time to move on?*' medda fo a'i ben ar osgo.

'*I think so... thanks Jay,*' meddwn inna. Mae o'n hen foi iawn.

'*Tell Aled I was sorry to hear of his loss.*' Yna trodd a mynd yn ôl i mewn i'r fan, '*and Alice...*'

Ond ddywedodd o ddim byd wedyn, dim ond chwifio'i law fel petai o'n ceisio cael gwared â rhywbeth oedd yn hofran ar gyrion ei feddyliau. Cychwynnodd y fan a sgrialu'n wyllt i lawr tua'r Gelli, a'r graean ar y ffordd yn tasgu i bob cyfeiriad.

Cerddais inna tuag at y Graig ond roedd y drws ynghlo. Gallwn weld Plancia'n cyrraedd drws y Weirglodd, ac yna'n aros cyn mynd i mewn. Edrychodd i fyny tuag at y Graig a fy ngweld inna. Codais fy llaw arno, a chododd yntau ei law yn ôl cyn troi a diflannu i dywyllwch y tŷ.

Roedd y Graig yn ddistaw ac unig yr olwg. Tŷ mawr solat yn eistedd yma ar y llechwedd uwchben y cwm, eistedd a gwylio'r mynd a'r dod ar hyd yr Hwylfa Lydan. Y ffenestri tywyll yna'n gwylio bywydau'r cenedlaethau'n pasio, a'r cerrig yn gwrando. Doedd yna ddim golwg o Aled, ond roedd drws y Tŷ Boilar, lle'r oedd Meg yn arfer â bod, yn agored, felly mae'n rhaid ei fod wedi mynd â Meg i fyny am y ffridd a'r creigia. Dechreuais innau ddringo, heibio i gefn y tŷ, ac i fyny tua wal y mynydd. Roedd y llethrau'n symudliw o binc a choch a phorffor, fel y taenai'r machlud ei fysedd hud dros dwmpathau o rug ac ar wyneb y creigia. I fyny ar grib y Foel roedd hen ddraenen gam yn sefyll, ei chefn yn grwb wedi hyrddiadau'r blynyddoedd a'i bysedd duon esgyrnog yn ymestyn i ddal gwres ola'r machlud, cyn i'r cysgodion ledu. Cerddais yn ofalus rhwng y twmpathau brwyn, rhag ofn i mi fynd â'm traed i ganol gwlybaniaeth budur y siglen, ond heno roedd y ddaear yn dechrau sychu, mor wahanol i'r bora hwnnw yn y niwl. Daliais i gerdded am sbel cyn troi yn ôl i edrych i lawr y dyffryn tua'r Aber.

*'Tyrd gyda mi ac mi ddangosaf i ti gip ar y gwastadedd tirion.'*

'Be weli di?' meddai'r llais, a daeth Aled i sefyll wrth fy ymyl.

'Hardd ydy o…' medda finna.

'Mi ddoi di o hyd i harddwch ynddo fo, os mai am harddwch rwyt ti'n chwilio decini…' medda fo'n chwyrn. 'Mi ddoi di o hyd i dorcalon ynddo fo 'fyd.'

'Wyt ti'n iawn?' gofynnais, a symud yn nes. Ond wnaeth o ddim closio, dim ond cychwyn cerdded i lawr ar hyd y llwybyr tuag at y gamfa ar waelod Craig yr Ynfyd. Arhosais a'i wylio'n mynd am funud. Roedd o'n cerdded â rhyw benderfyniad yn ei osgo. Yna stopiodd, ac edrych i fyny yn ôl tuag ata i.

'Tyrd…' medda fo a dal ei law i fy helpu i groesi'r sgri.

Roedd o'n gafael yn dynn ac yn egar yn fy llaw, nid yn dyner fel o'r blaen, ac roedd ei gamau'n cyflymu. Camau llydan, brysiog, diamynedd.

'Tyrd,' medda fo wedyn. 'Dwi isho i ti weld rhywbeth.'

Ar ôl cyrraedd y gamfa, arhosodd a phwyso yn erbyn y clawdd. Roedd hi'n dechrau oeri yno'n barod a düwch Craig yr Ynfyd yn taflu ei gysgodion drosom. Crynais, ond wnaeth Aled ddim closio. Roedd popeth am ei osgo yn anesmwyth a diamynedd. Roeddwn i eisiau mynd ato i gydio amdano a'i gysuro, ond fedrwn i ddim.

'Fan hyn!' meddai o'r diwedd, gan daflu'i fraich fel tasa fo'n dangos rhywbeth neilltuol i mi.

'Be?' gofynnais. Fedrwn i weld dim byd.

'Fan hyn ffendies i Em,' meddai.

Roedd o'n symud yn aflonydd gan gicio ambell garreg yn y llwch, yn union fel petai o'n chwilio am olion o rywbeth.

Roeddwn i'n gwybod hynny. Rydw i'n cofio'r noson. Hen noson laith, niwlog a minnau'n gweithio yn y Ship, yn gweini. Cofio Mam yn fy nôl a dweud bod rhywbeth dychrynllyd wedi digwydd.

'Ia, dwi'n gwybod…' medda finna'n dawel. 'Diawl o beth, damwain fel'na.'

'Na!' medda fo ac edrych tuag ata i. 'Na! Nid damwain oedd hi, Alice. Fydda Em byth yn gwneud camgymeriad fel'na, roedd o'n gwybod yn iawn be roedd o'n 'i wneud.'

'Ella…' wyddwn i ddim sut i ymateb. Roedd o'n fygythiol bron.

'Na, nid "ella" dim byd,' roedd o'n poeri'r geiriau. 'Lladd ei hun wnaeth Em, lladd ei hun achos be roedd Janet wedi'i neud iddo fo…'

'Be?'

'Doedd hi ddim yn 'i garu fo, Alice… doedd hi erioed wedi 'i garu o… a fedra fo ddim byw efo hynny.'

'Pam dy fod ti'n deud hyn rŵan wrtha i?'

'Achos mae'n rhaid i ti gael gwybod…'

'Fi?'

Doedd ei eiriau o'n gwneud dim synnwyr i mi. Roedd ei feddwl o fel petai 'n neidio o un peth i'r llall.

'Mae Jan yn casáu'r gafael yna sy gen ti drosto fo.'

'Dros bwy?' Mae Jan yn fy nghasáu i – rydw i'n deall

hynny'n iawn, ond beth sydd gan fan hyn i'w wneud â chasineb Jan tuag ata i?

'Dy afael dros Llyr, siŵr dduw. Fedri di ddim gweld?'

Fedrwn i weld dim byd ond siâp tywyll Aled rhyngof i a'r machlud. Daeth yn nes ata i a gafael am fy ysgwyddau i'n hegar.

'Mae arni dy ofn di, Alice, ofn y ffordd mac Llyr yn gwirioni arnat ti, ofn beth sydd yn digwydd rhyngoch chi.'

'Ond pam?'

'Rydach chi'n rhy glòs…'

'Ond felly mae petha wedi bod rhwng Llyr a finna…'

Fedrwn i ddim edrych arno fo. Doedd ganddo fo ddim hawl i ddweud wrtha i be ddylwn i wneud, na gyda phwy – nid ei degan bach o oeddwn i.

'Fel'na mae petha *wedi* bod, Alice.' Yna camodd yn nes ata i a chydio yn fy llaw cyn ychwanegu'n dawelach, 'ond rhaid i ti lacio dy afael ynddo fo rŵan…'

Daliodd ei afael yn fy llaw er fy mod i'n ceisio pellhau oddi wrtho fo. Wedi dod yma i gydymdeimlo roeddwn i, nid i gael pregeth gan ddyn cenfigennus.

'Pam?' gofynnais. Gollyngodd fy llaw a throi ei gefn ata i. Yna ciciodd garreg nes bod honno'n bowndian i lawr y llechwedd gan godi llwch wrth fynd. Wedyn mi drodd ata i, â'i lygaid yn tanio.

'Lladd ei hun achos be wnaeth Janet iddo fo wnaeth Em – be wnaeth Janet a *dy dad di* iddo fo. Wyt ti'n dallt rŵan?' Roedd o fel tasa fo'n ymbil arna i rywsut. 'Janet a

143

dy dad – roeddan nhw'n gariadon... nid mab Emyr ydy Llyr – fedri di ddim gadael i Llyr dy garu di fel dwi'n dy garu di. Chewch chi ddim – mae o'n hannar brawd i ti!'

Roedd hi'n dywyll pan gyrhaeddon ni'r garafán. Es i nôl y goriad o dan y garreg lle'r oeddwn i wedi ei guddio. Roedden ni wedi cerdded heb siarad, i lawr o'r creigia, ond yn raddol gallwn deimlo'r gwylltineb a'r tymer yn tawelu wrth i gamau Aled arafu. Roedd y garafán yn daclus ac yn edrych yn ddieithr rhywsut. Gadewais y llenni yn agored i olau diwedd y dydd gael dod i mewn, golau mwyn, tawel, gyda'r nos. Eisteddodd Aled ar ymyl y gwely, pwysodd ei freichiau ar ei ddwy ben-glin a thynnu ei ddwylo trwy'r gwallt tywyll. Yna sythodd ac edrych arna i. Roedd ei wyneb wedi newid ers y noson honno wrth yr olchfa.

'Alice,' medda fo, 'fedrwn ni ddim dweud wrtho fo, sti.'

'Be?'

'Wrth Llyr. Ddyla fo ddim gorfod wynebu hyn.'

'Na... ond be am Llyr a finna?'

'Rhaid i ti bellhau oddi wrtho fo, mi geith fy meio i. Mae o'n gwybod fod yna rywbeth wedi digwydd rhyngddon ni'n barod... dwi'n gwybod na fedra i ddim dy orfodi di i wneud dim...'

'Ond...'

'Mi geith feddwl mai fi sy'n dy hawlio di, mae'n well gen i hynny... Mi geith fy nghasáu i Alice, ond mi fydd cariad Emyr tuag ato fo'n dal yno, ac mi fydd y Graig yno iddo fo.' Edrychodd ar ei ddwylo cyn ychwanegu, 'roedd Em yn dad da iddo fo, Alice. Fedra i ddim cymryd hynny oddi wrtho fo hefyd.'

'Be wyt ti isho i mi wneud?'

'Fedri di fy ngharu fi... fel 'na?'

'Be? Dy garu di... dim ond er mwyn Llyr?'

'Na, dim ond fy ngharu fi...'

Mae Aled yn symud at y drws ac yn mynd allan at y glwyd. Rydw i'n gwylio ei gefn yn dywyll yn erbyn y golau am dipyn. Mae'n crymu ac yn pwyso yn erbyn y wal gan sefyll yno'n llonydd, llonydd.

Eisteddais inna yno yn y tywyllwch, fy meddyliau yn nofio. Dyna fu achos y ffraeo adre felly, y cyhuddiadau a'r geiriau gwyllt a'r dagrau. Roeddwn i wedi hen arfer â'r rheiny ond heb ddeall pam, na phwy oedd achos yr hollt. Doeddwn i ddim yn teimlo casineb tuag at neb, dim hyd yn oed tuag at Janet; mewn rhyw ffordd ryfedd roeddwn i'n teimlo trueni drosti hi yn fwy na neb – wedi'r cwbwl, hi sydd wedi gorfod byw efo beth wnaeth hi. Hi sydd wedi cadw'r cyfrinachau yn glòs dan gaead ers y drychineb, gan wybod yn iawn mai hi oedd wedi gwthio Em i wneud beth wnaeth o. Does ryfedd iddi fy ngweld i'n fygythiad. A dyna Llyr – y bachgen bach eiddil yna bu'n rhaid i mi ei amddiffyn rhag Wayne a Colin, ia rhag Colin, fy mrawd hyd yn oed. Ei amddiffyn o rhag y crechwenu a'r sibrwd a'r ensyniadau. Fi, ei angel gwarcheidiol o. Pa mor bell mae dyletswyddau angel yn mynd tybed? Mae adenydd yr angel yma'n teimlo'n flinedig, beth bynnag.

'Tyrd...' medda Aled yn dawel, ac mae ei ddwylo'n

estyn amdanaf yn y tywyllwch. Rydw i'n mynd ato fo, ac rydan ni'n dau'n gorwedd ar y gwely mawr.

'Mae'n ddrwg gen i,' medda finna.

'Am be?'

'Am be wnaeth Dad, am adael y llanast i gyd i ti, am Anti Lilian…'

Mae ei wefus yn symud trwy fy ngwallt, a'i ddwylo garw yn mwytho croen fy nghefn yn araf a chadarn trwy ddefnydd tenau'r ffrog. Trof inna tuag ato gan deimlo gwres ifanc ei gorff yn cau amdanaf. Rydw i'n chwilio am ei wyneb yn y tywyllwch, ac yn ei gusanu.

# Llyr

MI AETH POPETH yn go lew am wn i. Petha fel'na ydy angladdau. Pawb yn edrych ar eu dwylo ddim yn siŵr sut i ymateb, na beth i'w wneud. Wnaethon ni ddim aros yn y fynwent yn hir am fod gen i ofn dros Taid – ofn ei weld o'n methu sefyll yno yn y gwres. Mi driodd Aled a finna ei gael o i fynd yn syth i'r Ship i'r te, ond mynnu dod at y bedd wnaeth o.

Mae pobol yn betha od ar y diawl, ac yn dweud petha od.

'Chwith meddwl; colled ar ei hôl hi; rhyfedd yn y Graig hebddi; un dda oedd hi; un glên; un groesawus; beth fach... biti.'

Pam ddiawl na fysan nhw wedi mynd i fyny i'r Graig i ymweld â Lilian weithiau os oedd ganddyn nhw gymaint o feddwl ohoni? Yn lle hynny, cael ei gadael wnaeth hi, ei hanghofio, i fyny fan yna. Mi fasa'r Graig wedi bod yn llonnach lle tasa'r dorf yma neu rai ohonyn nhw wedi mentro yno ambell waith. Dyna fo, waeth i mi heb â phregethu – mae'n haws cofio'r marw na chysuro'r byw decini.

Mae yna de bach i bawb wedi'i drefnu yn y Ship. Mae Alice yno'n gweini, ei gwallt gwyllt wedi'i ddofi'n blethen daclus. Mae hi'n hardd, ei chroen wedi ei liwio gan yr haul, a'r ffrog gwta ddu'n dangos amlinell ei chorff. Mae hi'n symud yn esmwyth rhwng y galarwyr, yn cyfarch ac yn gwenu'n gwrtais. Ond mae hi'n cadw ei phellter oddi wrtha i.

Rydw i'n mynd i eistedd at Taid ac yn cael cip ar Mam wrth y drws. Mae ei llygaid a'i thrwyn yn goch, a'i chroen yn welw. Mae gen i biti drosti, ond ddaw hi ddim i eistedd atom ni. Ddaeth hi ddim at y teulu yn y capel chwaith, roedd hi'n rhy hwyr yn cyrraedd. Sefyll yn y festri fuodd hi.

'Be sy ar ben y ddynas acw dwa?' mae Taid yn gofyn yn uchel. Edrych ar Mags mae o, yn tywallt te o'r tebot. Tebot y festri, un mawr brown a dwy handlen arno fo.

'Be sy ar ei gwallt hi, Llyr?' hola Taid yn uchel eto. 'Ydy o i fod y lliw yna dŵad?'

'Wedi'i liwio fo mae hi, Taid. Peidiwch â gweiddi.' Dwi'n trio'i dawelu fo.

'Ond mae o'n wyrdd, Llyr,' mae o'n mynnu rhythu.

'Nac ydy, rhyw wawr las sy iddo fo… maen nhw'n gwneud hynny weithia…' dwi'n trio esbonio. Wedyn mae o'n dechrau chwerthin fel hogyn bach drwg.

Mae Alice yn ein cyrraedd ni efo dwy baned.

'Diolch i ti, mach i… lliw clws ar dy wallt di, beth bynnag,' meddai Taid, ac mae Alice yn chwerthin.

'Pwy oedd honna Llyr?' Dydy o'n gostwng dim ar ei lais, ac mae Alice yn aros.

'Merch Ty'n Llechwedd ydw i, Alice. Dydach chi ddim yn fy nghofio fi?' Mae hi'n nesáu at Taid ac yn plygu drosto. Rydw i'n agos, agos ati ac mi fedra i arogli'r haul yn ei gwallt hi.

'Merch Jên a Malcolm Ty'n Llechwedd wyt ti?' ac mae Taid yn chwerthin. 'Alice fach wyt ti, siŵr.'

Mae Alice yn aros.

'Iawn Llyr?' medda hi ac edrych arna i. Mae hi'n mynd i ddweud rhywbeth arall ond mae Mags yn galw arni.

'Dwy baned arall yn fan'cw, Ali, reit sydyn.' Ac mae Alice wedi'n gadael.

Mae Mags yn cipio'r tebot o law'r ddynas sydd wrth ei hymyl hi ac mae honno'n rhythu arni'n flin. Ond mae Mags yn dweud rhywbeth wrthi'n reit swta ac yn pwyntio at handlen y tebot. Mae hi'n sythu, yn rhoi hwb fach ar i fyny i'w bronna, ac yn cario mlaen i dywallt fel petai hi wedi ffendio pwrpas i'w bodolaeth. Mae'r helpar arall yn bodloni ar fynd i rannu cacen gri rhwng y byrdda a chlirio llestri gwag.

Mae Cai a Meic yn dod i eistedd aton ni, y ddau'n cario panad yn un llaw a pheint yn y llall. Maen nhw'n ddieithr yn eu crysa gwynion ac yn edrych yn anesmwyth. Mae Taid yn ddistaw dydy o ddim yn cyffwrdd yn ei baned. Rhywsut mae'r tawelwch yn ein llethu ni ac rydan ni'n ynys fach dawel ynghanol y siarad a'r cofio. Fedra i ddim ond gweld llaw fawr Meic yn trio gafael yng nghlust fach gain y gwpan, y llaw yn crynu, a diferion o'r te yn disgyn ar y bwrdd ym mhob man.

'Hen gwpana gwirion ydyn nhw,' medda Taid yn ddistaw. Mae Meic yn nodio ac yn gwncud sŵn tebyg i riddfan, ac yn rhoi ei law dros ei lygaid.

'Duw, rho glec i dy beint, a tyd am smôc,' meddai Cai. Mae Meic yn ei ddilyn trwodd i'r bar, ac allan i'r maes parcio.

Wrth y bar mae Colin Ty'n Llechwedd a Jay a Pixie yn trafod ceffyla. Mae Colin yn fy ngweld i, ac yn nodio. Mi a' i draw ato am funud.

'Llyr, sut mae petha?' mae o'n gofyn, ac yn estyn ei law i mi. 'Mae'n ddrwg gen i cofia, am Lilian.'

Rydw inna'n cydnabod ei gydymdeimlad yn gwrtais, ond mae o'n dal i edrych arna i.

'Wyt ti'n ôl am sbel rŵan, Llyr?' mae o'n holi, fel petai o wirioneddol eisiau gwybod. Dwi'n ofalus, dydw i ddim wedi arfer cael cwrteisi gan Colin.

'Na, mynd yn ôl i Lerpwl fory, gwaith yn galw.'

'*Did you get some painting done, Llyr?*'

Tro Jay ydy holi rŵan.

'*No, nothing really. It wasn't the time somehow.*'

'Na, fuodd hi ddim yn hawdd arnoch chi, naddo?' meddai Colin. Mae o'n taro nghefn i fel tasa fo'n hen gyfaill.

Yn sydyn daw yna sŵn o'r drws, ac mae yna ddau neu dri ohonon ni'n brysio yno.

'Be ddiawl?'

Rhuthra Colin draw at rywun sydd ar ei gefn yn y gwrych. 'Be ddiawl dach chi'n wneud yn fan'na?' Mae o'n trio tynnu'r dyn ar ei draed. Rydw i'n ei adnabod. Malcolm Ty'n Llechwedd ydy o.

Mae o'n friga ac yn ddail i gyd a graean yn ei wallt o. Mae'r siwt ddu smart yn llwch, a'r gwaed yn dripian o'i drwyn. Mae Colin yn estyn hances iddo ac mae o'n ei chymryd ond mae'r gwaed yn disgyn ar ei grys gwyn ac yn creu ffurfiau fel ffordd ar fap.

'Ffycin hel, be oedd hynna... fedrwch chi ddim mynd i nunlla heb dynnu helynt i'ch pen? Heddiw o bob diwrnod?' medda Colin, a dechrau cael gwarad ar y llwch oddi ar gefn ei dad.

'Dydy o byth yn deall be mae o wedi 'i wneud nes bod petha wedi mynd yn rhy bell," medda Meic, a'i wynt yn fyr. Edrycha'n hurt ar ei ddwrn – fel tasa'i ddwrn o wedi taro heb yn wybod iddo fo rhywsut. 'Fel'na fuodd o rioed, Col, sori. Dwi'n gwybod ei fod o'n dad i ti, ond... wel fel'na mae petha.'

Mae Meic yn troi i wynebu Aled sy'n dod i weld beth ydy'r helynt.

'Gad iddo fo, Meic, gad i'r diawl fod,' medda Aled.

'Ty'd laen. Gwell i ni'n dau adael, dwi'n meddwl...' medda Cai. 'Mi fyddwn ni i fyny ben bora fory, Aled i orffan efo'r ddôl – os deil y tywydd braf 'ma tan bora.'

Ac mae'r ddau'n mynd yn ara deg i lawr am yr Aber, Cai yn dal a solat a Meic yn llewys ei grys a'i gefn yn crymu.

Rydw i'n dal i edrych ar dad Colin yn sefyll yn fan'no ynghanol y gwrych. 'Ydy o'n iawn... fydda'n well i mi nôl Alice?' gofynnaf i Aled.

'Na, gadael llonydd iddyn nhw fydda ora. Mae Colin efo fo, drycha. Dim ond rhyw helynt rhyngddo fo a Meic. Mi fydd pawb wedi anghofio erbyn bora.'

'Dewch i mewn hogia bach.' Plancia sydd yno. 'Mae Alice am fynd â'ch Taid a finna i fyny am y Weirglodd. Mae'r hen ddyn yn dechra blino... angladd neis Aled, neis iawn 'fyd,' medda Plancia, er bod gŵr Ty'n Llechewdd yn sefyll yno o'i flaen yn fap o ffyrdd bach gwaedlyd coch.

Mae Aled yn mynd efo Taid at y car, ac yn helpu Alice i'w roi i eistedd yn y sêt ffrynt, a chodi'i draed llonydd i mewn i'r car. Rydw i'n ei wylio'n cau'r drws.

Mae Alice yno wrth ei ochor ac mae Aled yn rhoi ei fraich o amgylch ei gwasg ac yn ei thynnu ato. Mae o'n sibrwd rhywbeth yn ei gwallt ac mae hithau'n gwenu'n swil arno. Fedra i ddim edrych arnyn nhw ac af i chwilio am Mam.

'Ydach chi'n barod?' dwi'n gofyn, ac mae Mam yn nodio. Rydan ninnau'n dau yn gadael y te claddu. Mae gen i waith pacio i'w wneud.

# Yr Hen Ŵr

'WELL I TI gychwyn i lawr rŵan, Plancia,' medda fi wrth yr hen griadur. Mae hi'n nosi ac mae ganddo fo stepan i fynd.

'Fyddwch chi'n iawn yma?'

'Bydda siŵr, rêl boi rŵan sti.'

'Dwi wedi cau'r ieir… gymrwch chi rwbath arall cyn i mi ei throi hi?'

Dwi'n gwybod yn iawn nad ydy o eisiau mynd i lawr, ond waeth iddo fo heb â stwna yn fan hyn. Chware teg iddo fo am ddŵad i fyny i gadw cwmpeini i mi ar ôl yr angladd.

'Na, na, mi ddôn nhw yma gyda hyn, i fy rhoi fi yn fy ngwely a ballu sti.'

Diawl o beth gorfod aros i rywun ddod i fy rhoi fi yn fy ngwely. Fy rhoi fi i gadw am y dydd, fel yr ieir.

'Dyna fo 'ta.'

Ond methu mynd mae o gan ddal i dindroi yn y drws.

'Ia, diolch, Plancia. Gymri di wya?' medda fi i drio rhoi cychwyn arno fo wedyn.

'Na, wel mi ddo i i fyny i… ddod â'r bocs wya yn ôl.'

'Dyna ti, ac mi gei di hannar dwsin pan ddoi di tro nesa ta.'

Wedyn mae o'n trio cychwyn eto, ond yn troi yn ei

ôl fel rhyw hen ddafad benderfynol.

'Rŵan bod Lil… wyddoch chi… rŵan bo chi'ch hun. Fasach chi'n licio i mi ddod i roi tro?' medda fo'n diwadd. 'Dach chi'n gwybod na fedar Aled ddim – mae ganddo fo ddigon i neud, yn does?'

'Ia, fachgian, dyna ti… ddoi di i fyny yn bora 'wrach?'

Mi fydda i'n falch o gwmpeini Plancia. Tydy o ddim yn rhyw hen siarad o hyd. Mi eisteddith efo fi'n dawal.

'Fydda i fyny ben bora, ylwch…' medda fo a gwenu, ac i ffwrdd â fo'n ddigon sionc.

Dwi'n gwybod na fydd gan Aled amsar i ddod ata i gan eu bod nhw wedi torri gwair. Mi fuo Meic a Cai wrthi yn y caeau isa y diwrnod o'r blaen. Mae yna fygwth troi tywydd at yr wythnos nesa meddan nhw, felly rhaid i mi gofio dweud wrth Aled am sticio iddi.

Mi ddoth Meic i fyny a dweud ei fod o wedi torri'r Ddôl Fawr, ac nad oedd eisiau i Aled boeni ynghylch dim byd; un da ydy o. Mi fuodd Meic yn driw iawn. Roedd hi'n chwith ei weld o heddiw, dyn cryf fel yna. Does yna ddim byd gwaeth na gweld dyn mawr cydnerth fel yna yn gwegian. Dyna sy'n sobor am angladda pobol ifanc, mae yna gymaint o ddagrau ar ôl heb eu gollwng. Nid fel fi, rydw i wedi gollwng hynny o ddagra sy gen i, am wn i. Does yna ddim ar ôl ohona i, dim ond rhyw hen gragen sych, wag. Ond fydd dim rhaid wrth ddagra pan af i, diolch am hynny. Siawns na wela i 'run angladd eto.

Mae yna rywun wedi cyrraedd. Llyr mae'n debyg.

Yma mae o wedi bod ers i Lilian fynd. Mae yna ryw helynt rhyngddo fo ac Aled, ond mi eith heibio fel arfar mwn. Mynd heibio mae helyntion yn y diwadd o hyd.

'Fama ydach chi?'

Ond Aled sydd yna.

'Ia.'

'Ydy Plancia Bach wedi mynd?'

'Ydy.'

Mae o'n estyn cadair wedyn, ac yn dŵad i eistedd wrth fy ymyl i. Mae o'n fachgen smart yn ei siwt dywyll a'r crys gwyn ond mae golwg wedi hario arno fo heno, fel taswn i'n disgwyl ar ôl diwrnod angladd ei fam. Mi fuo fo'n dda iawn trwy'r dydd, yn ein cynnal ni i gyd. Mae yna fwy o'r hen graig yna ynddo fo yn y diwadd.

'Ydach chi'n barod am eich gwely, Taid?'

Waeth i mi hynny ddim am wn i er does gen i fawr o awydd mynd i fyny chwaith.

'Wnei di ddŵad allan am funud efo fi, Aled?'

'Mae hi'n hwyr chi. Tydach chi ddim wedi blino?' medda fo. Ond mae o'n codi ac yn estyn fy ffon i ini.

Wedyn rydan ni'n dau yn mynd i fyny i gyfeiriad y corlanna. Mae o'n dawelach nag y gwelais i o ers sbel. Dydy o ddim yn rhuthro fel bydda fo, dim ond cerddad yn dawel efo mi. Rydan ni'n dau'n pwyso yn erbyn y clawdd wedyn. Does yna ddim machlud coch heno, dim ond rhyw hen ola gwan melyn yn cilio am y gorwel, ac mae'r goleuada dros y bae ac amlinell mynyddoedd y tir draw yn glir, glir. I fyny am y mynydd rydw i'n gallu gweld yn iawn y rhigolau tywyll yn y creigia, ac ambell hen ddafad fentrus yn pori. Mae pobman yn agos heno. Mae'r tawch gwres wedi cilio ac mae yna droi ar y tywydd i fod. Uwchben mae dau aderyn mawr yn hewian – damia nhw. Mae'n gas gen i eu gweld nhw, arwyddion gwae a marwolaeth ydyn nhw'n ddigon siŵr.

'Mae yna ormod o'r hen fwncathod yma o gwmpas, Em...' medda fi.

'Oes,' medda fynta ond tydy o ddim yn edrych arnyn nhw.

'Fedri di gael eu lle nhw dŵad... ?'

'Na fedra.'

'Well i ti wneud rhywbeth yn eu cylch nhw cyn iddyn nhw fynd yn bla,' medda fi.

'Chawn ni ddim eu cyffwrdd nhw, Taid,' medda fo'n bendant reit.

'Ond...'

'Gadael llonydd iddyn nhw fasa ora... dydyn nhw ddim fel brain...'

'Wel dda gen i mohonyn nhw beth bynnag.'

Mae o'n codi carreg wedyn ac yn ei lluchio hi at y *sheet sink* sy'n pwyso yn erbyn y clawdd gyferbyn. Mae hynny'n gwneud coblyn o glec, ac mae'r adar yn sgrialu.

'Dyna chi ylwch, Taid, hawdd ynte?' medda fo, ac mae o'n troi ata i ac yn gwenu.

Mae pob man yn ddistaw rŵan, ac wedyn rydw i'n cofio am Llyr.

'Lle mae o?'

'Pwy?'

'Llyr… ddoth o ddim i fyny ar ôl y c'nebrwng.'

'Na, mi ddaw toc. Mi roedd ganddo fo betha angan eu gwneud.'

'O?'

'Mae o'n mynd yn ei ôl fory, yn tydy…'

'I Lerpwl?'

'Ia siŵr.'

'Be neith Janet hebddo fo dwad?'

'Duw, mi fydd hi'n iawn, fel buodd hi erioed, ynde Taid.'

'Ia fachgian. Rhyfedd sut mae rhai'n dod allan o betha yn rêl bois o hyd.'

Ond tydw i ddim mor siŵr y bydd hi'n iawn chwaith. Mi weles olwg ddigon pell arni hitha – rydan ni i gyd yn gorfod wynebu'n camwedda yn y diwadd. Y bitsh iddi.

'Dim ond ni'n dau fydd ar ôl wedyn… Dwn i ddim i be mae Llyr angan mynd yn ei ôl i'r hen ddinas yna. Mae yna ddigon o waith iddo fo yn fan hyn.'

'Gadwch iddo fo fynd am sbel, Taid. Yn ei ôl aton ni y daw o yn y diwadd, gewch chi weld.'

'Mi fyddwn ni'n iawn, 'yn byddwn Aled?'

'Byddwn,' medda fo'n reit sionc, ac mi ges wên ganddo fo.

Rydw i'n ei ddilyn o'n ôl i'r tŷ yn ara deg.

'Aled…' rydw i'n gweiddi ar ei ôl o, ac mae o'n troi. 'Rhaid inni sticio iddi cfo'r Ddôl Fawr, mae'r tywydd ar droi sti.'

Ond yn ei flaen am y tŷ mae o'n mynd ac yn dweud

rhywbeth o dan ei wynt. Dwn i ddim be sydd arno fo isho rhegi o hyd.

Fel rydw i'n cyrraedd y drws clywaf yr hewian yn ailgychwyn. Mae'r hen adar mawr yna yn eu hola'n barod.

"Mae'n feiddgar, mae'n lliwgar, mae'n gyfoes – mwynhewch!"
*Angharad Tomos*

**£8.95**

Am restr gyflawn o lyfrau'r Lolfa, mynnwch
gopi o'n catalog newydd, rhad
neu hwyliwch i mewn i'n gwefan

**www.ylolfa.com**

lle gallwch archebu llyfrau ar lein.

*yl**Lolfa***

TALYBONT CEREDIGION CYMRU SY24 5HE
*ebost* ylolfa@ylolfa.com
*gwefan* www.ylolfa.com
*ffôn* 01970 832 304
*ffacs* 832 782